W9-BAN-576

COLLECTION FOLIO

Milan Kundera

L'identité

Postface
de François Ricard

Gallimard

© Milan Kundera, 1997.
© Éditions Gallimard, 2000, pour la postface.
Tous droits de publication et reproduction
en langue française réservés
aux Éditions Gallimard.
Toute adaptation, sous quelque forme
que ce soit, est interdite.

1

Un hôtel dans une petite ville au bord de la mer normande qu'ils avaient trouvé par hasard dans un guide. Chantal arriva le vendredi soir pour y passer une nuit solitaire, sans Jean-Marc qui devait la rejoindre le lendemain vers midi. Elle laissa une petite valise dans la chambre, sortit et, après une courte promenade dans des rues inconnues, revint au restaurant de l'hôtel. À sept heures et demie, la salle était encore vide. Elle s'assit à une table en attendant que quelqu'un l'aperçût. De l'autre côté, près de la porte de la cuisine, deux serveuses étaient en pleine discussion. Détestant hausser la voix, Chantal se leva, traversa la salle et s'arrêta près d'elles; mais elles étaient trop passionnées par leur sujet : « Je te dis, cela fait déjà dix ans. Je les connais. C'est terrible. Et il n'y a aucune trace. Aucune. On en a parlé à la télé. » L'autre : « Qu'est-ce qui a pu lui arriver ? — On ne peut même pas l'imaginer. Et c'est ce qui est horrible. — Un meurtre ? — On a fouillé tous les environs. — Un enlèvement ? — Mais qui ? Et pourquoi ? C'était quelqu'un qui n'était ni riche ni important. On les a montrés à la télé. Ses enfants, sa femme. Quel désespoir. Tu te rends compte ? »

Puis elle remarqua Chantal : « Vous connaissez l'émission à la télé sur les gens disparus ? *Perdu de vue*, ça s'appelle.

— Oui, dit Chantal.

— Peut-être que vous avez vu ce qui est arrivé à la famille Bourdieu. Ils sont d'ici.

— Oui, c'est affreux », dit Chantal, ne sachant comment détourner une discussion sur une tragédie vers une vulgaire question de repas.

« Vous voulez dîner, dit enfin l'autre serveuse.

— Oui.

— J'appelle le maître d'hôtel, allez vous asseoir. »

Sa collègue ajouta encore : « Vous vous rendez compte, quelqu'un que vous aimez disparaît et vous ne saurez jamais ce qui lui est arrivé ! C'est à devenir fou ! »

Chantal retourna à sa table ; le maître d'hôtel vint au bout de cinq minutes ; elle commanda un repas froid, très simple ; elle n'aime pas manger seule ; ah, ce qu'elle déteste cela, manger seule !

Elle découpait le jambon dans son assiette et ne pouvait arrêter les pensées mises en chemin par les serveuses : dans ce monde où chacun de nos pas est contrôlé et enregistré, où dans les grands magasins des caméras nous surveillent, où les gens se frôlent sans cesse les uns les autres, où l'homme ne peut même pas faire l'amour sans être interrogé le lendemain par des chercheurs et des sondeurs (« où faites-vous l'amour ? » « combien de fois par semaine ? » « avec ou sans préservatif ? »), comment se peut-il que quelqu'un échappe à la surveillance et disparaisse sans laisser de traces? Oui, elle connaît bien cette émission avec ce titre qui lui fait horreur, *Perdu de vue*, la seule émission qui la désarme par sa sincérité, par sa tristesse, comme si une intervention venue d'un ailleurs avait forcé la télévision à renoncer à toute frivolité ; d'un ton grave, un présentateur invite les spectateurs à apporter un témoignage qui pourrait aider à découvrir le disparu. À la fin de l'émission, on montre l'une après l'autre les photos de tous les « perdus de vue » dont on a parlé dans les émissions précédentes ; quelques-uns sont introuvables depuis onze ans déjà.

Elle imagine perdre ainsi un jour Jean-Marc. Rester dans l'ignorance, être réduite à tout imaginer. Elle ne pourrait même pas se suicider car le suicide serait une trahison, le refus d'attendre, la perte de la patience. Elle serait condamnée à vivre jusqu'à la fin de ses jours dans une horreur ininterrompue.

2

Elle est montée à sa chambre, s'est endormie péniblement et s'est réveillée au milieu de la nuit après un long rêve. Il était peuplé exclusivement de gens de son passé : sa mère (morte depuis longtemps) et surtout son ancien mari (elle ne l'a pas vu depuis des années et il n'était pas ressemblant, comme si le metteur en scène du rêve s'était trompé dans le casting); il était là avec sa sœur, dominatrice et énergique, et sa nouvelle épouse (elle ne l'a jamais vue; pourtant, dans le rêve, elle ne doutait pas de son identité); à la fin il lui faisait de vagues propositions érotiques, et sa nouvelle femme a embrassé Chantal fortement sur la bouche en essayant de lui glisser sa langue entre les lèvres. Les langues se léchant l'une l'autre lui ont toujours fait ressentir du dégoût. En fait, c'est ce baiser qui l'a réveillée.

Le malaise suscité par le rêve était si démesuré qu'elle s'est efforcée d'en déchiffrer la raison. Ce qui l'a troublée tellement, pense-t-elle, c'est la suppression du temps présent opérée par le rêve. Car elle tient passionnément à son présent que, pour rien au monde, elle n'échangerait ni avec le passé ni avec l'avenir. C'est pour cela qu'elle n'aime pas les rêves : ils imposent une inacceptable égalité des différentes époques d'une même vie, une contemporanéité nivelante de tout ce que l'homme a jamais vécu ; ils déconsidèrent le présent en lui déniant sa position privilégiée. Comme dans son rêve de cette nuit-là : tout un pan de sa vie a été anéanti : Jean-Marc, leur appartement commun, toutes les années qu'ils ont vécues ensemble ; à leur place le passé s'est vautré, les personnes avec lesquelles elle a depuis longtemps rompu et qui ont essayé de la capturer dans le filet d'une banale séduction sexuelle. Elle sentait sur sa bouche les lèvres humides d'une femme (pas laide, en choisissant l'actrice le metteur en scène du rêve a été assez exigeant) et cela lui était à tel point désagréable qu'en pleine nuit elle est allée dans la salle de bains pour, longuement, se laver et se gargariser.

3

F. était un très vieil ami de Jean-Marc, ils se connaissaient depuis le lycée ; ils avaient les mêmes opinions, ils s'entendaient sur tout et étaient restés en contact jusqu'au jour où, il y a plusieurs années, Jean-Marc le désaima, brusquement et définitivement, et cessa de le voir. Quand il apprit que, très malade, F. se trouvait dans un hôpital de Bruxelles, il n'eut aucune envie de lui rendre visite, mais Chantal insista pour qu'il y allât.

La vue de l'ancien ami fut accablante : il l'avait gardé dans sa mémoire tel qu'il était au lycée, un garçon fragile, toujours parfaitement habillé, doté d'une finesse naturelle face à laquelle Jean-Marc se sentait comme un rhinocéros. Les traits subtils, efféminés, qui jadis faisaient F. plus jeune que son âge, l'avaient rendu maintenant plus vieux : son visage parut grotesquement petit, recroquevillé, ridé, telle la tête momifiée d'une princesse égyptienne morte depuis quatre mille ans ; Jean-Marc regardait ses bras : l'un était sous perfusion, immobilisé, une aiguille glissée dans la veine, l'autre faisait de grands gestes pour appuyer ses paroles. Depuis toujours, quand il le regardait gesticuler, il avait l'impression que par rapport à son petit corps les bras de F. étaient encore plus petits, tout à fait minuscules, des bras de marionnette. Cette impression fut, ce jour-là, encore accentuée car ces gestes enfantins allaient très mal avec la gravité du propos : F. lui racontait son coma qui avait duré plusieurs jours avant que les médecins ne le ramènent à la vie : « Tu connais les témoignages de gens qui ont survécu à leur mort. Tolstoï parle de cela dans une nouvelle. Le tunnel, et au bout une lumière. La beauté attirante de l'au-delà. Or, je te jure, aucune lumière. Et, ce qui est pire, aucune inconscience. Tu sais tout, tu entends tout, seulement eux, les médecins, ils ne s'en rendent pas compte et racontent n'importe quoi devant toi, même ce que tu ne devrais pas entendre. Que tu es perdu. Que ton cerveau est foutu. »

Il se tut un moment. Puis : « Je ne veux pas dire que mon esprit était parfaitement lucide. J'avais conscience de tout mais tout était un peu déformé, comme dans un rêve. De temps en temps le rêve devenait cauchemar. Seulement, dans la vie, un cauchemar, ça finit vite, tu te mets à crier et tu te réveilles, mais moi je ne pouvais pas crier. Et c'était ça le plus terrible : ne pas pouvoir crier. Être incapable de crier au milieu du cauchemar. »

De nouveau, il se tut. Puis : « Je n'ai jamais eu peur de mourir. Maintenant, si. Je ne peux pas me débarrasser de l'idée qu'après la mort on reste vivant. Qu'être mort, c'est vivre un cauchemar infini. Mais passons. Passons. Parlons d'autre chose. »

Avant son arrivée à l'hôpital, Jean-Marc était sûr que ni l'un ni l'autre ne pourraient escamoter le souvenir de leur rupture et qu'il serait obligé de dire à F. quelques mots insincères de réconciliation. Mais ses craintes étaient vaines : la pensée de la mort rendait tous les autres sujets futiles. F. avait beau vouloir passer à autre chose, il continuait à parler de son corps souffrant. Ce récit plongea Jean-Marc dans la déprime mais ne réveilla en lui aucune affection.

4

Est-il vraiment si froid, si insensible ? Un jour, il y a plusieurs années, il apprit que F. l'avait trahi ; ah, le mot est par trop romantique, sûrement exagéré, pourtant, il en fut bouleversé : dans une réunion, en son absence, tout le monde attaqua Jean-Marc ce qui lui coûta plus tard son poste. À cette réunion, F. était présent. Il était là et il ne dit pas un seul mot pour défendre Jean-Marc. Ses bras minuscules qui aiment tellement gesticuler ne firent pas le moindre mouvement en faveur de son ami. Ne voulant pas se tromper, Jean-Marc vérifia minutieusement que F. s'était vraiment tu. Quand il en eut une totale certitude, il se sentit pendant quelques minutes infiniment blessé ; puis, il décida de ne plus jamais le revoir ; et immédiatement après il fut saisi d'un sentiment de soulagement, inexplicablement joyeux.

F. terminait l'exposé sur ses malheurs quand, après un moment de silence, son visage de petite princesse momifiée s'éclaira : « Tu te rappelles nos conversations au lycée ?

— Pas vraiment, dit Jean-Marc.

— Je t'ai toujours écouté comme mon maître quand tu parlais des jeunes filles. »

Jean-Marc essaya de se souvenir mais ne trouva dans sa mémoire aucune trace des conversations d'antan : « Qu'aurais-je pu dire, morveux de seize ans, sur les jeunes filles ?

— Je me vois debout devant toi, continua F., disant quelque chose sur les filles. Tu te rappelles, ça me choquait toujours qu'un beau corps soit une machine à sécrétions ; je t'ai dit que je supportais mal de voir une jeune fille se moucher. Et je te revois ; tu t'es arrêté, tu m'as dévisagé et tu m'as dit d'un ton curieusement expérimenté, sincère, ferme : se moucher ? moi, il me suffit de voir comment son œil clignote, de voir ce mouvement de la paupière sur la cornée, pour que je ressente un dégoût que je peux à peine surmonter. Tu te rappelles ?

— Non, répondit Jean-Marc.

— Comment as-tu pu oublier ? Le mouvement de la paupière. Une idée tellement étrange ! »

Mais Jean-Marc disait vrai ; il ne se souvenait pas. D'ailleurs, il n'essayait même pas de chercher dans sa mémoire. Il pensait à autre chose : voilà la vraie et seule raison d'être de l'amitié : procurer un miroir dans lequel l'autre peut contempler son image d'autrefois qui, sans l'éternel bla-bla de souvenirs entre copains, se serait effacée depuis longtemps.

« La paupière. Tu ne te rappelles vraiment pas ?

— Non », dit Jean-Marc, et puis, pour lui-même, en silence : tu ne veux donc pas comprendre que je m'en fous du miroir que tu m'offres ?

La fatigue était tombée sur F. qui se tut comme si le souvenir de la paupière l'avait épuisé.

« Il faut que tu dormes », dit Jean-Marc, et il se leva.

En sortant de l'hôpital, il sentit une irrésistible envie d'être avec Chantal. S'il n'avait pas été si exténué, il serait parti tout de suite. Avant d'arriver à Bruxelles, il avait imaginé de déjeuner copieusement à l'hôtel le lendemain matin et de prendre la route tranquillement, sans précipitation. Mais après la rencontre avec F., il régla son réveil de voyage à cinq heures.

5

Fatiguée après une mauvaise nuit, Chantal sortit de l'hôtel. En route vers le bord de mer, elle croisa des touristes de week-end. Leurs groupes reproduisaient tous le même schéma : l'homme poussait une poussette avec un bébé, la femme marchait à côté de lui; le visage de l'homme était bonasse, attentif, souriant, un peu embarrassé et toujours prêt à s'incliner vers l'enfant, à le moucher, à calmer ses cris; le visage de la femme était blasé, distant, suffisant, parfois même (inexplicablement) méchant. Ce schéma,

Chantal le vit se reproduire en diverses variantes : l'homme à côté d'une femme poussait la poussette et portait en même temps, dans un sac spécial, un bébé sur le dos ; l'homme à côté d'une femme poussait la poussette, portait un bébé sur les épaules et un autre dans un sac sur le ventre ; l'homme à côté d'une femme, sans poussette, tenait un enfant par la main et en portait trois autres sur le dos, sur le ventre et sur les épaules. Enfin, sans homme, une femme poussait la poussette ; elle le faisait avec une vigueur inconnue des hommes, si bien que Chantal qui marchait sur le même trottoir dut au dernier moment faire un saut de côté.

Chantal se dit : les hommes se sont papaïsés. Ils ne sont pas pères mais juste papas, ce qui signifie : pères sans autorité de père. Elle s'imagine flirter avec un papa qui pousse la poussette avec un bébé et en porte encore deux autres, sur le dos et sur le ventre ; profitant d'un moment où l'épouse se serait arrêtée devant une vitrine, elle chuchoterait un rendez-vous au mari. Que ferait-il ? L'homme transformé en arbre d'enfants pourrait-il encore se retourner sur une inconnue ? Les bébés suspendus sur son dos et sur son ventre ne se mettraient-ils pas à hurler contre le mouvement dérangeant de leur porteur ? Cette idée lui paraît drôle et la met de bonne humeur. Elle se dit : je vis dans un monde où les hommes ne se retourneront plus jamais sur moi.

Puis, parmi quelques promeneurs matinaux, elle se retrouva sur la digue : c'était la marée basse ; devant elle la plaine sablonneuse s'étendait sur un kilomètre. Cela faisait longtemps qu'elle n'était pas venue au bord de la mer normande, et elle ne connaissait pas les activités à la mode qu'on y pratiquait : les cerfs-volants et les chars à voile. Le cerf-volant : un tissu de couleur tendu sur un squelette redoutablement dur, lâché dans le vent ; à l'aide de deux fils, un dans chaque main, on lui impose des directions variées de sorte qu'il monte et descend, virevolte, émet un terrible bruit semblable à celui d'un gigantesque taon et, de temps en temps, le nez le premier, tombe sur le sable comme un avion qui s'écrase. Surprise, elle constata que leurs propriétaires n'étaient ni des enfants ni des adolescents, mais presque tous des adultes. Et jamais des femmes, toujours des hommes. En effet, c'étaient les papas! Les papas sans enfants, les papas qui avaient réussi à fuir leurs épouses! Ils ne couraient pas chez des maîtresses, ils couraient à la plage, pour jouer!

Encore une fois l'idée lui vint d'une séduction perfide : s'approcher, par-derrière, de l'homme qui tient les deux ficelles et, tête renversée, observe le vol bruyant de son jouet; lui souffler à l'oreille une invite érotique composée des mots les plus obscènes. Sa réaction? Elle n'a aucun doute : sans la regarder il sifflerait : fiche-moi la paix, je suis occupé!

Oh non, les hommes ne se retourneront plus jamais sur elle.

Elle rentra à l'hôtel. Sur le parking elle aperçut la voiture de Jean-Marc. À la réception, elle apprit qu'il était arrivé depuis au moins une demi-heure. La réceptionniste lui tendit un message : *Je*

suis arrivé en avance. Je vais te chercher.
J.-M.

« Il est parti me chercher, soupira Chantal. Mais où ?

— Monsieur a dit que vous seriez sûrement à la plage. »

6

En allant vers le bord de mer, Jean-Marc passa à côté d'une station d'autobus. Il n'y avait là qu'une jeune fille en jean et en tee-shirt ; sans grande ardeur mais pourtant très nettement elle tortillait des reins comme si elle dansait. Quand il fut tout près d'elle, il vit sa bouche béante : longuement, insatiablement, elle bâillait ; ce trou grand ouvert était doucement balancé par le corps qui, machinalement, dansait. Jean-Marc se dit : elle danse et elle s'ennuie. Il arriva à la digue ; en contre-bas, sur la plage, il vit des hommes qui, la tête en arrière, lâchaient en l'air des cerfs-volants. Ils le faisaient avec passion et Jean-Marc se rappela sa vieille théorie :

il y a trois catégories d'ennui : l'ennui passif :
la jeune fille qui danse et bâille ; l'ennui
actif : les amateurs de cerfs-volants ; et
l'ennui en révolte : la jeunesse qui brûle les
voitures et casse les vitrines.

Plus loin sur la plage, des enfants, entre
douze et quatorze ans, avec de grands
casques colorés sous lesquels fléchissaient
leurs petits corps, s'attroupaient autour de
curieuses voitures : sur la croix que forment
des barres métalliques sont fixées une roue
avant et deux roues arrière ; au milieu, dans
une boîte longue et basse, un corps peut se
glisser et s'allonger ; au-dessus, un mât se
dresse avec une voile. Pourquoi les enfants
sont-ils casqués ? Certainement, ce sport
est dangereux. Pourtant, se dit Jean-Marc,
ce sont surtout les promeneurs que les
engins dirigés par des enfants mettent en
danger ; pourquoi ne leur propose-t-on pas
un casque, à eux ? Parce que ceux qui
boudent les loisirs organisés sont les déser-
teurs de la grande lutte commune contre
l'ennui et ne méritent ni attention ni casque.

Il descendit l'escalier menant à la plage et
regarda attentivement vers la lisière reti-

rée de la mer; parmi les silhouettes lointaines des flâneurs il s'efforça de distinguer Chantal; enfin, il la reconnut; elle venait de s'arrêter pour contempler les vagues, les voiliers, les nuages.

Il passa près des enfants qu'un moniteur faisait asseoir dans les chars qui commençaient à se mouvoir lentement en cercle. Autour, d'autres chars filaient à grande vitesse. Seule la voile maniée par une corde assure la bonne direction du véhicule et permet, en virant, d'éviter les promeneurs. Mais un maladroit amateur peut-il vraiment maîtriser la voile? Et le véhicule est-il vraiment sans défaillance afin de pouvoir répondre à la volonté du pilote?

Jean-Marc regardait les chars, et quand il constata que l'un d'eux se dirigeait à la vitesse d'un bolide vers Chantal son front se crispa. Un vieil homme y était allongé comme un cosmonaute dans une fusée. Dans cette position horizontale, il ne peut rien voir de ce qui se trouve devant lui! Est-elle assez prudente, Chantal, pour l'éviter? Il pesta contre elle, contre sa nature trop insouciante, et accéléra le pas.

Elle fit demi-tour. Mais elle ne voyait certainement pas Jean-Marc, car son allure restait lente, l'allure d'une femme plongée dans ses pensées et qui marchait sans regarder autour d'elle. Il voudrait lui crier de ne pas être si distraite, de faire attention à ces voitures crétines qui parcourent la plage. Soudainement, il imagine son corps écrasé par le char, elle est étendue sur le sable, elle est en sang, le char s'éloigne sur la plage et il se voit courir vers elle. Il est à tel point ému par cette image qu'il se met vraiment à crier le nom de Chantal, le vent est fort, la plage immense, et sa voix n'est audible par personne, aussi peut-il s'adonner à cette sorte de théâtre sentimental et, les larmes aux yeux, crier son angoisse pour elle ; le visage crispé d'une grimace de pleur, il est en train de vivre pendant quelques secondes l'horreur de sa mort.

Puis, étonné lui-même par cette curieuse crise d'hystérie, il la vit, au loin, qui se promenait avec nonchalance, paisible, calme, charmante, infiniment touchante, et il sourit de la comédie de deuil qu'il venait de se jouer, il en sourit sans se la reprocher, car la mort de Chantal est avec lui depuis qu'il a commencé à l'aimer; il se mit vraiment à courir tout en lui faisant signe de la main. Mais elle s'arrêta de nouveau, de nouveau elle fit face à la mer et regardait les voiliers au loin sans remarquer l'homme qui agitait la main au-dessus de la tête.

Enfin! S'étant retournée dans sa direction, elle semblait le voir; tout heureux, il leva une fois encore le bras. Mais elle ne s'intéressait pas à lui et s'arrêta en suivant du regard la longue ligne de la mer caressant le sable. Maintenant qu'elle était de profil, il constatait que ce qu'il avait pris pour son chignon était un foulard autour de la tête. Au fur et à mesure qu'il approchait (d'un pas soudain beaucoup moins pressé), cette femme qu'il avait crue être Chantal devenait vieille, laide et dérisoirement autre.

7

Chantal s'était bientôt lassée d'observer la plage depuis la digue et avait décidé d'attendre Jean-Marc dans la chambre. Mais quelle somnolence elle éprouvait! Afin de ne pas gâter le plaisir des retrouvailles elle voulut vite boire un café. Elle changea alors de direction et alla vers un grand pavillon en béton et en verre qui abrite un restaurant, un café, une salle de jeux et quelques boutiques.

Elle entra au café; la musique la frappa, très forte. Contrariée, elle avança entre les deux rangées de tables. Dans la grande salle vide, deux hommes la dévisagèrent : l'un, jeune, appuyé sur le devant du comptoir, en tenue noire de garçon de café; l'autre, plus âgé, costaud, en tee-shirt, debout au fond de la salle.

Ayant l'intention de s'asseoir, elle dit au costaud : « Pouvez-vous arrêter la musique ? »

Il fit quelques pas vers elle : « Pardon, j'ai mal compris. »

Chantal regarda ses bras musclés, tatoués : une femme nue avec de très gros seins et un serpent qui entoure son corps.

Elle répéta (en atténuant ses exigences) : « La musique, pourriez-vous la mettre moins fort ? »

L'homme répondit : « La musique ? Elle ne vous plaît pas ? » et Chantal vit le jeune homme, passé à ce moment derrière le comptoir, augmenter encore le volume du rock.

L'homme au tatouage était tout près d'elle. Son sourire lui paraissait mauvais. Elle capitula : « Non, je n'ai rien contre votre musique ! »

Et le tatoué : « J'en étais sûr que vous l'aimez. Vous désirez ?

— Rien, dit Chantal, je voulais seulement voir. C'est agréable chez vous.

— Alors, pourquoi ne pas rester ? » dit dans son dos, d'une voix déplaisamment douce, le jeune homme en noir qui a encore changé de place : il s'est planté entre les deux rangées de tables, dans le seul passage qui mène à la sortie. L'obséquiosité de sa voix a provoqué en elle une sorte de panique. Elle se sent comme dans un piège qui, d'ici quelques instants, se refermera. Elle veut agir vite. Pour partir, elle sera obligée de passer là où le jeune homme lui barre le chemin. Comme si elle décidait d'aller directement à sa ruine, elle avance. En voyant devant elle le sourire douceâtre du jeune homme, elle sent battre son cœur. Ce n'est qu'au dernier moment qu'il fait un pas de côté et la laisse passer.

8

Confondre l'apparence physique de l'aimée avec celle d'une autre. Combien de fois il a déjà vécu cela ! Toujours avec le même étonnement : la différence entre elle et les autres est-elle donc si infime ? Comment se peut-il qu'il ne sache pas reconnaître la silhouette de l'être le plus aimé, de l'être qu'il tient pour incomparable ?

Il ouvre la porte de la chambre. Enfin, il la voit. Cette fois, sans le moindre doute, c'est elle, mais qui ne se ressemble pas non plus. Son visage est vieux, son regard étrangement méchant. Comme si la femme à laquelle il a fait des signes sur la plage devait dès maintenant et pour toujours se substituer à celle qu'il aime. Comme s'il devait être puni pour son incapacité à la reconnaître.

« Qu'est-ce qu'il y a ? Qu'est-ce qui s'est passé ?

— Rien, rien, dit-elle.

— Comment, rien ? Tu es complètement transformée.

— J'ai très mal dormi. Je n'ai presque pas dormi. J'ai passé une mauvaise matinée.

— Une mauvaise matinée ? Pourquoi ?

— Mais pour rien, pour vraiment rien.

— Dis-moi.

— Mais vraiment rien. »

Il insiste. Elle finit par dire : « Les hommes ne se retournent plus sur moi. »

Il la regarde, incapable de comprendre ce qu'elle dit, ce qu'elle veut dire. Elle est triste parce que les hommes ne se retournent plus sur elle ? Il veut lui dire : Et moi ? Et moi ? Moi qui te cherche sur des kilomètres de plage, moi qui crie ton nom en pleurant et qui suis capable de courir après toi par toute la planète ?

Il ne le dit pas. Au lieu de cela il répète, lentement, à voix basse, les mots qu'elle vient de prononcer : « Les hommes ne se retournent plus sur toi. C'est vraiment pour ça que tu es triste ? »

Elle rougit. Elle rougit comme depuis longtemps il ne l'a pas vue rougir. Cette rougeur semble trahir des désirs inavoués. Des désirs si violents que Chantal ne peut leur résister et répète : « Oui, les hommes, ils ne se retournent plus sur moi. »

9

Quand Jean-Marc apparut sur le seuil de la chambre elle eut la meilleure volonté d'être gaie ; elle voulait l'embrasser, mais elle ne pouvait pas ; depuis son passage au café elle était tendue, crispée et à tel point enfouie dans sa sombre humeur qu'elle craignait que le geste d'amour auquel elle se serait essayée n'apparût forcé et contrefait.

Puis Jean-Marc lui demanda : « Qu'est-ce qui s'est passé ? » Elle lui dit qu'elle avait mal dormi, qu'elle était fatiguée, mais elle ne réussit pas à le convaincre et il continua à l'interroger; ne sachant comment échapper à cette inquisition de l'amour, elle voulait lui dire quelque chose de drôle; c'est alors que sa promenade matinale et les hommes transformés en arbres d'enfants lui revinrent à l'esprit et elle trouva dans sa tête la phrase qui y était restée tel un petit objet oublié : « Les hommes ne se retournent plus sur moi. » Elle recourut à cette phrase pour se dérober à toute discussion sérieuse; elle s'efforça de la dire le plus légèrement possible mais, à sa surprise, sa voix était amère et mélancolique. Cette mélancolie, elle la sentait plaquée sur son visage et, immédiatement, elle sut qu'elle serait mal comprise.

Elle le vit qui la regardait, longuement, gravement, et elle avait la sensation que dans les profondeurs de son corps ce regard allumait un feu. Ce feu se répandait vite dans son ventre, montait dans sa poitrine, brûlait ses joues, et elle entendait Jean-Marc répétant d'après elle : « Les hommes ne se retournent plus sur toi. C'est vraiment pour ça que tu es triste? »

Elle sentait qu'elle brûlait comme un brandon et que la sueur coulait sur sa peau ; elle savait que cette rougeur donnait à sa phrase une importance démesurée ; il devait croire que par ces mots (ah, combien anodins !) elle s'était trahie, qu'elle lui avait fait voir ses penchants secrets dont, maintenant, elle rougissait de honte ; c'est un malentendu mais elle ne peut le lui expliquer, car cet assaut de feu, elle le connaît depuis un certain temps déjà ; elle a toujours refusé de lui donner son vrai nom mais, cette fois-ci, elle ne doute plus de ce qu'il signifie et, pour cette raison même, elle ne veut, elle ne peut en parler.

La vague de chaleur fut longue et s'exhiba, comble du sadisme, sous les yeux de Jean-Marc ; elle ne savait plus que faire pour se cacher, pour se couvrir, pour détourner le regard scrutateur. Troublée à l'extrême, elle redit la même phrase dans l'espoir qu'elle allait rectifier ce qu'elle avait raté la première fois et qu'elle allait réussir à la prononcer légèrement, comme une drôlerie, comme une parodie : « Oui, les hommes, ils ne se retournent plus sur moi. » Peine perdue, la phrase sonnait encore plus mélancoliquement qu'auparavant.

Dans les yeux de Jean-Marc s'allume subitement une lumière qu'elle connaît et qui est comme une lanterne de salut : « Et moi ? Comment peux-tu penser à ceux qui ne se retournent plus sur toi alors que moi je cours sans cesse après toi et partout où tu es ? »

Elle se sent sauvée, car la voix de Jean-Marc est la voix de l'amour, la voix dont elle a oublié l'existence dans ces instants de désarroi, la voix de l'amour qui la caresse et la détend mais à laquelle elle n'est pas encore prête ; comme si cette voix arrivait de loin, de trop loin ; elle aurait besoin de l'entendre encore pendant un bon moment pour pouvoir y croire.

C'est pourquoi, quand il voulut la prendre dans ses bras, elle se raidit ; elle eut peur d'être serrée contre lui ; peur que son corps moite ne divulguât le secret. Le moment fut trop court et ne lui donna pas le temps de se contrôler ; ainsi, avant

qu'elle ne pût retenir son geste, timidement mais fermement, elle le repoussa.

10

Cette rencontre gâchée qui les a rendus
incapables de s'embrasser a-t-elle vraiment
eu lieu? Se rappelle-t-elle encore, Chantal,
ces quelques instants d'incompréhension?
Se rappelle-t-elle encore la phrase qui a
troublé Jean-Marc? Guère. L'épisode a été
oublié comme des milliers d'autres. En-
viron deux heures plus tard, ils déjeunent
au restaurant de l'hôtel et parlent gaiement
de la mort. De la mort? Son patron a
demandé à Chantal de réfléchir sur une
campagne publicitaire pour les pompes
funèbres Lucien Duval.

« Il ne faut pas rire, dit-elle en riant.

— Et eux, ils rient?

— Qui?

— Tes collègues. L'idée en elle-même
est si évidemment drôle, de faire de la
publicité pour la mort! Ton directeur, ce
vieux trotskiste! Tu dis toujours qu'il est
intelligent!

— Il est intelligent. Logique comme un bistouri. Il connaît Marx, la psychanalyse, la poésie moderne. Il aime raconter que dans la littérature des années vingt, en Allemagne ou je ne sais où, il y avait un courant de poésie du quotidien. La publicité, selon lui, réalise a posteriori ce programme poétique. Elle transforme les simples objets de la vie en poésie. Grâce à elle la quotidienneté s'est mise à chanter.

— Que trouves-tu d'intelligent dans ces banalités !

— Le ton de provocation cynique avec lequel il les dit.

— Il rit ou il ne rit pas quand il te dit de faire de la publicité pour la mort ?

— Un sourire qui marque une distance, ça fait élégant, et plus tu es puissant plus tu te sens obligé d'être élégant. Mais son sourire distant n'a rien à voir avec un rire comme le tien. Et il est très sensible à cette nuance.

— Alors, comment supporte-t-il ton rire à toi ?

— Mais, Jean-Marc, que crois-tu, je ne ris pas. N'oublie pas, j'ai deux visages. J'ai appris à en tirer un certain plaisir, mais en dépit de cela, avoir deux visages, ce n'est pas facile. Cela exige un effort, cela exige une discipline! Tu dois comprendre que tout ce que je fais, bon gré, mal gré, je le fais avec l'ambition de le faire bien. Ne serait-ce que pour ne pas perdre mon emploi. Et il est très difficile de travailler à la perfection et en même temps de mépriser ce travail.

— Oh, tu le peux, tu en es capable, tu es géniale, dit Jean-Marc.

— Oui, je peux avoir deux visages, mais je ne peux pas les avoir en même temps. Avec toi, je porte le visage qui se moque. Quand je suis au bureau, je porte le visage sérieux. Je reçois les dossiers des gens qui recherchent un emploi chez nous. Je dois les recommander ou donner un avis négatif. Il y en a parmi eux qui, dans leur lettre, s'expriment en un langage si parfaitement moderne, avec tous les clichés, avec le jargon, avec tout l'optimisme obligatoire. Je n'ai pas besoin de les voir ni de leur parler pour les détester. Mais je sais que ce sont eux qui vont travailler bien et avec zèle. Et puis il y a ceux qui, certainement, en d'autres temps, se seraient consacrés à la philosophie, à l'histoire de l'art, à l'enseignement du français, mais aujourd'hui, faute de mieux, presque par désespoir, ils cherchent du travail chez nous. Je sais que secrètement ils méprisent le poste qu'ils sollicitent et qu'ils sont donc mes frères. Et je dois trancher.

— Et comment tranches-tu ?

— Une fois je recommande celui qui m'est sympathique, une fois celui qui va bien travailler. J'agis à moitié comme traître à mon entreprise, à moitié comme traître à moi-même. Je suis un double traître. Et cet état de double trahison, je le considère non pas comme un échec mais comme un exploit. Car pendant combien de temps encore serai-je capable de garder mes deux visages ? C'est épuisant. Il arrivera un jour où je n'aurai qu'un seul visage. Le pire des deux, bien sûr. Le sérieux. Le consentant. Est-ce que tu m'aimeras encore ?

— Jamais tu ne perdras tes deux visages », dit Jean-Marc.

Elle sourit et lève son verre de vin :
« Espérons-le ! »

Ils trinquent, ils boivent, puis Jean-Marc dit : « D'ailleurs, je t'envie presque de faire de la publicité pour la mort. Sans que je sache pourquoi, depuis mon âge tendre je suis fasciné par les poèmes sur la mort. J'en ai appris tant et tant par cœur. Je peux en réciter, veux-tu ? Tu pourras les utiliser. Par exemple ces vers de Baudelaire, tu les connais forcément :

Ô Mort, vieux capitaine, il est temps ! levons l'ancre !

Ce pays nous ennuie, ô Mort ! Appareillons !

— Je connais, je connais, l'interrompt Chantal. C'est beau mais pas pour nous.

— Comment ? Ton vieux trotskiste aime la poésie ! Et quelle est la meilleure consolation pour un mourant que de se dire : ce pays nous ennuie ? J'imagine ces mots au néon au-dessus de la porte des cimetières. Pour ta publicité, il suffirait de les modifier légèrement : *Ce pays vous ennuie. Lucien Duval, vieux capitaine, assurera l'appareillage.*

— Mais ma tâche n'est pas de plaire aux agonisants. Ce ne sont pas eux qui vont solliciter les services de Lucien Duval. Et les vivants qui enterrent leurs morts veulent se réjouir de la vie et non pas célébrer la mort. Retiens bien cela : notre religion, c'est l'éloge de la vie. Le mot " vie " est le roi des mots. Le mot-roi entouré d'autres grands mots. Le mot " aventure " ! Le mot " avenir " ! Et le mot " espoir " ! À propos, tu sais quel était le nom codé de la bombe atomique envoyée sur Hiroshima ? Little Boy ! C'est un génie, celui qui a inventé ce code ! On n'aurait pas pu trouver mieux. Little Boy, petit garçon, gosse, môme, il n'existe pas de mot plus tendre, plus touchant, plus bourré d'avenir.

— Oui, je vois, dit Jean-Marc, enchanté. C'est la vie même qui plane au-dessus de Hiroshima en la personne d'un little boy qui lâche, sur les ruines, l'urine d'or de l'espoir. C'est ainsi que l'époque de l'après-guerre a été inaugurée. » Il prend son verre : « Trinquons ! »

11

Son fils avait cinq ans quand elle l'enterra. Plus tard, lors des vacances, sa belle-sœur lui dit : « Tu es trop triste. Il faut que tu aies un autre enfant. Il n'y a que comme cela que tu oublieras. » La remarque de sa belle-sœur lui serra le cœur. Enfant : existence sans biographie. Ombre qui rapidement s'efface dans son successeur. Mais elle ne désirait pas oublier son enfant. Elle défendait son individualité irremplaçable. Contre l'avenir elle défendait un passé, le passé négligé et méprisé du pauvre petit mort. Une semaine après, son mari lui dit : « Je ne veux pas que tu succombes à la dépression. Il faut que nous ayons vite un autre enfant. Ensuite, tu oublieras. » Tu oublieras : il ne cherchait même pas à trouver une autre formule ! C'est alors que la décision de le quitter naquit en elle.

Il était clair pour elle que son mari, homme plutôt passif, ne parlait pas en son propre nom, mais au nom des intérêts plus généraux de la grande famille dominée par sa sœur. Celle-ci vivait alors avec son troisième mari et les deux enfants nés de ses précédents mariages; elle avait réussi à rester en bons termes avec ses anciens époux et à les regrouper autour d'elle avec, en outre, les familles de ses frères et ses cousines. Ces immenses réunions se tenaient dans une énorme villa de campagne, durant les vacances; elle essaya d'introduire Chantal dans la tribu afin que, progressivement, imperceptiblement, elle en fît partie.

C'est là, dans cette grande villa, que sa belle-sœur puis son mari l'exhortèrent à avoir un autre enfant. Et c'est là, dans une petite chambre à coucher, qu'elle refusa de faire l'amour avec lui. Chacune de ses invites érotiques lui rappelait la campagne familiale pour une nouvelle grossesse, et l'idée de faire l'amour avec lui devint grotesque. Elle avait l'impression que tous les membres de la tribu, grands-mères, papas, neveux, nièces, cousines, les écoutaient derrière la porte, scrutaient secrètement les draps de leur lit, examinaient leur fatigue matinale. Tous s'appropriaient un droit de regard sur son ventre. Même les petits neveux étaient recrutés comme mercenaires dans cette guerre. L'un d'eux lui dit : « Chantal, pourquoi tu n'aimes pas les enfants ? — Pourquoi penses-tu que je ne les aime pas ? » répondit-elle brusquement et froidement. Il ne sut que dire. Irritée, elle continua : « Qui t'a dit que je n'aime pas les enfants ? » Et le petit neveu, sous son regard sévère, répondit d'un ton aussi timide que convaincu : « Si tu aimais les enfants tu pourrais en avoir. »

Après le retour de ces vacances, elle agit avec détermination : d'abord elle voulut retrouver son poste. Avant la naissance de son fils, elle avait enseigné au lycée. Le travail étant mal payé, elle renonça à le reprendre et préféra un emploi qui ne répondait pas à ses désirs (elle aimait enseigner) mais qui était trois fois mieux rémunéré. Elle avait mauvaise conscience de trahir ses goûts pour l'argent, mais que faire, c'était la seule façon d'obtenir son indépendance. Pour l'obtenir, néanmoins, l'argent ne suffit pas. Elle avait besoin

46

aussi d'un homme, d'un homme qui serait l'exemple vivant d'une autre vie, car si elle voulait, avec frénésie, se délivrer de sa vie précédente, elle ne savait en imaginer aucune autre.

Elle dut attendre pendant quelques années avant de rencontrer Jean-Marc. Quinze jours après, elle demandait le divorce à son mari tout étonné. C'est alors que sa belle-sœur, avec une admiration mêlée d'hostilité, l'appela la Tigresse : « tu ne bouges pas, on ne sait rien de ce que tu penses, et tu frappes ». Trois mois plus tard elle acheta un appartement où, écartant toute idée de mariage, elle s'installa avec son amour.

12

Jean-Marc a fait un rêve : il a peur pour Chantal, il la cherche, il court par les rues et, enfin, il la voit, de dos, qui marche, qui s'éloigne. Il court après elle et crie son nom. Il n'est plus qu'à quelques pas, elle tourne la tête, et Jean-Marc, médusé, a devant lui un autre visage, un visage étranger et désagréable. Pourtant, ce n'est pas quelqu'un d'autre, c'est Chantal, sa Chantal, il n'a aucun doute, mais sa Chantal avec le visage d'une inconnue, et cela est atroce, cela est insoutenablement atroce. Il l'étreint, la serre contre son corps et lui répète en sanglotant : Chantal, ma petite Chantal, ma petite Chantal ! comme s'il voulait, en répétant ces mots, insuffler à ce visage transformé son vieil aspect perdu, son identité perdue.

Ce rêve le réveilla. Chantal n'était plus au lit, il entendait les bruits matinaux de la salle de bains. Encore sous l'emprise du rêve, il ressentit un besoin urgent de la voir. Il se leva et alla vers la porte entrouverte. Il s'y arrêta et, comme un voyeur avide de dérober une scène d'intimité, il l'observa : oui, c'était sa Chantal telle qu'il l'a toujours connue : penchée au-dessus du lavabo, elle se brossait les dents, crachait sa salive mêlée de pâte et était si comiquement, si enfantinement concentrée sur son activité que Jean-Marc sourit. Puis, comme si elle sentait son regard, elle pivota sur elle-même, le vit dans la porte, se fâcha et finit par se laisser embrasser sur sa bouche encore toute blanche.

« Ce soir, tu me prendras à l'agence ? » lui dit-elle.

Vers six heures il entra dans le hall, passa par le couloir et s'arrêta devant la porte de son bureau. Elle était entrouverte comme l'était le matin celle de la salle de bains. Il vit Chantal avec deux femmes, ses collègues. Mais elle n'était plus la même que le matin ; elle parlait d'une voix plus forte à laquelle il n'était pas habitué, ses gestes étaient plus rapides, plus cassants, plus dominateurs. Le matin, dans la salle de bains, il avait retrouvé l'être qu'il venait de perdre pendant la nuit et qui, en cette fin d'après-midi, s'altérait de nouveau sous ses yeux.

Il entra. Elle lui sourit. Mais ce sourire était figé, et Chantal comme immobilisée. S'embrasser sur les deux joues est devenu en France, depuis une vingtaine d'années, une convention quasi obligatoire et, pour cette raison, pénible pour ceux qui s'aiment. Mais comment éviter cette convention quand on se revoit sous les yeux des autres et qu'on ne veut pas passer pour un couple fâché ? Gênée, Chantal s'approcha et lui tendit ses deux joues. Le geste était artificiel et leur laissa un goût de fausseté. Ils sortirent et, seulement après un long moment, elle redevint pour lui la Chantal qu'il connaissait.

C'est toujours ainsi : depuis l'instant où il la revoit jusqu'à l'instant où il la reconnaît telle qu'il l'aime, il a un chemin à parcourir. Lors de leur première rencontre, à la montagne, il avait eu la chance de pouvoir s'isoler avec elle presque immédiatement. Si, avant cette rencontre seul à seule, il l'avait fréquentée longtemps telle qu'elle était avec les autres, aurait-il reconnu en elle l'être aimé ? S'il ne l'avait connue qu'avec le visage qu'elle montre à ses collègues, à ses chefs, à ses subordonnés, ce visage l'aurait-il ému et émerveillé ? À ces questions, il n'a pas de réponse.

13

Peut-être est-ce à cause de son hyper-sensibilité à ces moments d'étrangeté que la phrase « les hommes ne se retournent plus sur moi » s'est gravée si fortement en lui : en la prononçant, Chantal était méconnaissable. Cette phrase ne lui ressemblait pas. Et son visage, comme méchant, comme vieilli, ne lui ressemblait pas non plus. D'abord, il a eu une réaction de jalousie : comment pouvait-elle déplorer que les autres ne s'intéressent plus à elle alors que, le matin même, il était prêt à se faire tuer sur la route afin d'être le plus vite possible avec elle ? Mais moins d'une heure plus tard il a fini par se dire : toute femme mesure le degré de son vieillissement à l'intérêt ou au désintérêt que les hommes manifestent pour son corps. Ne serait-il pas ridicule de s'en offenser ? Pourtant, sans se sentir offensé, il n'était pas d'accord. Car les traces d'un léger vieillissement (elle est de quatre ans plus âgée que lui), il les avait remarquées sur son visage le jour de leur première rencontre. Sa beauté, qui le frappa alors, ne la faisait pas plus jeune que son âge ; il pourrait plutôt dire que son âge rendait sa beauté plus éloquente.

La phrase de Chantal lui résonnait dans la tête et il imaginait l'histoire de son corps : il était perdu parmi des millions d'autres corps jusqu'au jour où un regard de désir se posa sur lui et le tira de la nébuleuse multitude ; ensuite, les regards se sont multipliés et ont embrasé ce corps qui dès lors traverse le monde tel un flambeau ; c'est le temps d'une lumineuse gloire mais, bientôt, les regards commenceront à se raréfier, la lumière à s'éteindre peu à peu jusqu'au jour où ce corps, translucide, puis transparent, puis invisible, se promènera dans les rues tel un petit néant ambulant. Sur ce trajet qui mène de la première invisibilité à la seconde, la phrase « les hommes ne se retournent plus sur moi » est le voyant rouge signalant que l'extinction progressive du corps a commencé.

Il aurait beau lui dire qu'il l'aime et la trouve belle, son regard amoureux ne pourrait la consoler. Parce que le regard de l'amour est le regard de l'esseulement. Jean-Marc pensait à la solitude amoureuse de deux vieux êtres devenus invisibles aux autres : triste solitude qui préfigure la mort. Non, ce dont elle a besoin, ce n'est pas d'un regard d'amour, mais de l'inondation des regards inconnus, grossiers, concupiscents et qui se posent sur elle sans sympathie, sans choix, sans tendresse ni politesse, fatalement, inévitablement. Ces regards la maintiennent dans la société des humains. Le regard de l'amour l'en arrache.

Avec remords, il pensait aux débuts vertigineusement rapides de leur amour. Il n'avait pas eu besoin de la conquérir : dès le premier instant elle avait été conquise. Se retourner sur elle ? Pour quoi faire. Elle était à côté de lui, en face de lui, près de lui, dès le début. Dès le début, il était le plus fort et elle la plus faible. Cette inégalité a été déposée dans les fondements de leur amour. Inégalité injustifiable, inégalité inique. Elle était plus faible parce que plus âgée.

14

Quand elle avait seize, dix-sept ans, elle chérissait une métaphore; l'avait-elle inventée elle-même, l'avait-elle entendue, lue? peu importe : elle voulait être un parfum de rose, un parfum expansif et conquérant, elle voulait traverser ainsi tous les hommes et, par les hommes, embrasser la terre entière. Parfum expansif de rose : métaphore de l'aventure. Cette métaphore a éclos au seuil de sa vie adulte comme la promesse romantique d'une douce promiscuité, comme une invitation au voyage à travers les hommes. Mais, de nature, elle n'était pas une femme née pour changer d'amants, et ce rêve vague, lyrique, s'est vite endormi dans son mariage qui s'annonçait calme et heureux.

Beaucoup plus tard, alors qu'elle avait quitté son mari et vivait depuis déjà quelques années avec Jean-Marc, elle se trouva un jour avec lui au bord de la mer : ils dînèrent dehors, sur une terrasse en planches au-dessus de l'eau; elle en garde un intense souvenir de blancheur; les planches, les tables, les chaises, les nappes, tout était blanc, les réverbères étaient peints en blanc et les lampes irradiaient une lumière blanche contre le ciel estival, pas encore sombre, où la lune, elle aussi blanche, blanchissait tout alentour. Et, dans ce bain de blanc, elle éprouvait une insoutenable nostalgie de Jean-Marc.

Nostalgie? Comment pouvait-elle éprouver de la nostalgie puisqu'il était en face d'elle? Comment peut-on souffrir de l'absence de celui qui est présent? (Jean-Marc saurait répondre : on peut souffrir de nostalgie en présence de l'aimé si on entrevoit un avenir où l'aimé n'est plus; si la mort de l'aimé, invisiblement, est déjà présente.)

Pendant ces minutes d'étrange nostalgie au bord de la mer, elle se souvint soudain de son enfant mort et une vague de bonheur l'inonda. Bientôt, elle serait effrayée par ce sentiment. Mais contre les sentiments personne ne peut rien, ils sont là et ils échappent à toute censure. On peut se reprocher un acte, une parole prononcée, on ne peut se reprocher un sentiment tout simplement parce qu'on n'a aucun pouvoir sur lui. Le souvenir de son fils mort la remplissait de bonheur et elle pouvait seulement se demander ce que cela signifiait. La réponse était claire : cela signifiait que sa présence aux côtés de Jean-Marc était absolue et qu'elle pouvait être absolue grâce à l'absence de son fils. Elle était heureuse que son fils fût mort. Assise en face de Jean-Marc, elle avait envie de le dire à voix haute mais n'osait pas. Elle n'était pas sûre de sa réaction, elle avait peur qu'il ne la prît pour un monstre.

Elle savourait l'absence totale d'aventures. Aventure : façon d'embrasser le monde. Elle ne voulait plus embrasser le monde. Elle ne voulait plus le monde.

Elle savourait le bonheur d'être sans aventures et sans désir d'aventures. Elle se rappela sa métaphore et vit une rose qui se fanait, rapidement, comme dans un film accéléré, jusqu'à ce qu'il n'en restât qu'une tige mince, noirâtre, et qui se perdait à jamais dans l'univers blanc de leur soirée : la rose diluée dans la blancheur.

Le même soir, juste avant de s'endormir (Jean-Marc dormait déjà), encore une fois elle se souvint de son enfant mort et ce souvenir fut de nouveau accompagné de cette scandaleuse vague de bonheur. Elle se dit alors que son amour pour Jean-Marc était une hérésie, une transgression des lois non écrites de la communauté humaine dont elle s'éloignait ; elle se dit qu'elle devait tenir secrète la démesure de son amour pour ne pas éveiller l'indignation haineuse des autres.

15

Le matin, c'est toujours elle qui sort de l'appartement la première et qui ouvre la boîte aux lettres, y laisse celles adressées à Jean-Marc et prend les siennes. Ce matin-là, elle trouva deux lettres : l'une au nom de Jean-Marc (elle la regarda furtivement : le cachet était de Bruxelles), l'autre à son nom, mais sans adresse ni timbre. Quelqu'un avait dû l'apporter personnellement. Étant un peu pressée, elle la mit sans l'ouvrir dans son sac et se dépêcha vers l'autobus. Une fois assise, elle ouvrit l'enveloppe ; la lettre tenait en une seule phrase : « Je vous suis comme un espion, vous êtes belle, très belle. »

Le premier sentiment fut désagréable. Quelqu'un, sans avoir demandé la permission, voulait intervenir dans sa vie, attirer vers lui son attention (sa capacité d'attention est limitée et elle n'a pas suffisamment d'énergie pour l'élargir), bref, l'importuner. Puis elle se dit que, finalement, il s'agissait d'une bagatelle. Quelle femme n'a pas reçu un jour pareil message ? Elle relut la lettre et se rendit compte que la dame à côté d'elle pouvait la lire aussi. Elle la remit dans son sac et jeta un coup d'œil autour d'elle. Elle vit les gens assis, regardant distraitement la rue par la fenêtre, deux jeunes filles exhibant leur rire, un jeune Noir près de la sortie, grand et beau, la dévisageant, une femme plongée dans un livre et qui avait certainement un long trajet à faire.

D'habitude, dans l'autobus, elle ignore tout le monde. À cause de cette lettre, elle se crut observée et observa elle aussi. Est-ce qu'il y a toujours quelqu'un qui la regarde fixement comme ce Noir aujour-d'hui? Comme s'il savait ce qu'elle vient de lire, il lui sourit. Si c'était lui, l'auteur du message? Elle chassa vite cette idée trop absurde et se leva pour descendre à la station suivante. Il lui faudrait passer à côté du Noir qui bloquait le passage vers la sortie et cela l'embarrassa. Quand elle fut tout près de lui, l'autobus freina, pendant un instant elle chercha l'équilibre, et le Noir, qui la dévisageait toujours, s'esclaffa. Elle sortit et se dit : ce n'était pas du flirt; c'était de la moquerie.

Ce rire moqueur, elle l'entendit toute la journée comme un mauvais présage. Elle regarda encore la lettre à deux ou trois reprises dans son bureau et, rentrée chez elle, se demanda quoi en faire. La garder? Pourquoi? La montrer à Jean-Marc? Cela l'aurait gênée; comme si elle avait voulu se vanter! Alors, la détruire? Bien sûr. Elle alla aux W.-C. et, penchée au-dessus de la cuvette, elle regarda la surface liquide; elle déchira l'enveloppe en plusieurs morceaux, les y jeta, chassa l'eau, mais elle replia la lettre et l'emporta dans sa chambre. Elle ouvrit l'armoire à linge et la mit sous ses soutiens-gorge. Ce faisant, elle ré-entendit le rire moqueur du Noir et se dit qu'elle ressemblait à toutes les femmes; ses soutiens-gorge, du coup, lui apparurent vulgaires et bêtement féminins.

16

À peine une heure plus tard, en arrivant à la maison, Jean-Marc montra un faire-part à Chantal : «Je l'ai trouvé ce matin dans la boîte. F. est mort.»

Chantal fut presque contente qu'une autre lettre, plus grave, couvrît le ridicule de la sienne. Elle prit Jean-Marc sous le bras et le conduisit au salon pour s'asseoir en face de lui.

Chantal : «Tu es quand même bouleversé.

— Non, dit Jean-Marc, ou bien je suis bouleversé de ne pas l'être.

— Même maintenant tu ne lui as pas pardonné?

— Je lui ai tout pardonné. Mais il ne s'agit pas de cela. Je t'ai parlé de ce curieux sentiment de joie que j'ai éprouvé quand j'ai décidé, autrefois, de ne plus le voir. J'étais froid comme un glaçon et je m'en réjouissais. Or, sa mort n'a rien changé à ce sentiment.

— Tu m'effraies. Vraiment, tu m'effraies. »

Jean-Marc se leva pour aller chercher la bouteille de cognac et deux verres. Puis, après avoir avalé une gorgée : «À la fin de ma visite à l'hôpital, il a commencé à raconter des souvenirs. Il m'a rappelé ce que j'ai dû dire quand j'avais seize ans. À ce moment, j'ai compris le seul sens de l'amitié telle qu'on la pratique aujourd'hui. L'amitié est indispensable à l'homme pour le bon fonctionnement de sa mémoire. Se souvenir de son passé, le porter toujours avec soi, c'est peut-être la condition nécessaire pour conserver, comme on dit, l'intégrité de son moi. Afin que le moi ne rétrécisse pas, afin qu'il garde son volume, il faut arroser les souvenirs comme des fleurs en pot et cet arrosage exige un contact régulier avec des témoins du passé, c'est-à-dire avec des amis. Ils sont notre miroir; notre mémoire; on n'exige rien d'eux, si ce n'est qu'ils astiquent de temps en temps ce miroir pour que l'on puisse s'y regarder. Mais je m'en fous de ce que je faisais au lycée! Ce que j'ai toujours désiré, depuis ma première jeunesse, depuis mon enfance peut-être, ç'a été tout autre chose : l'amitié comme valeur élevée au-dessus de toutes les autres. J'aimais dire : entre la vérité et l'ami, je choisis toujours l'ami. Je le disais par provocation mais je le pensais sérieusement. Je sais aujourd'hui que cette maxime est archaïque. Elle pouvait être valable pour Achille, l'ami de Patrocle, pour les mousquetaires d'Alexandre Dumas, même pour Sancho qui était un vrai ami de son maître, en dépit de tous leurs désaccords. Mais elle ne l'est plus pour nous. Je vais si loin dans mon pessimisme que je suis prêt aujourd'hui à préférer la vérité à l'amitié. »

Après avoir savouré une autre gorgée : « L'amitié était pour moi la preuve qu'il existe quelque chose de plus fort que l'idéologie, que la religion, que la nation. Dans le roman de Dumas, les quatre amis se trouvent souvent dans des camps opposés, contraints ainsi de se battre les uns contre les autres. Mais cela n'altère pas leur amitié. Ils ne cessent pas de s'aider, secrètement, avec ruse, en se moquant de la vérité de leurs camps respectifs. Ils ont placé leur amitié au-dessus de la vérité, de la cause, des ordres supérieurs, au-dessus du roi, au-dessus de la reine, au-dessus de tout. »

Chantal lui caressa la main et, après une pause, il dit : « Dumas a écrit l'histoire des mousquetaires avec un recul de deux siècles. Était-ce déjà chez lui la nostalgie de l'univers perdu de l'amitié ? Ou la disparition de l'amitié est-elle un phénomène plus récent ?

— Je ne peux pas te répondre. L'amitié, ce n'est pas le problème des femmes.

— Que veux-tu dire ?

— Ce que je dis. L'amitié, c'est le problème des hommes. C'est leur romantisme. Pas le nôtre. »

Jean-Marc avala une gorgée de cognac, puis revint à ses idées : « Comment l'amitié est-elle née ? Certainement comme une alliance contre l'adversité, alliance sans laquelle l'homme aurait été désarmé face à ses ennemis. Peut-être n'a-t-on plus un besoin vital d'une telle alliance.

— Il y aura toujours des ennemis.

— Oui, mais ils sont invisibles et anonymes. Les administrations, les lois. Que peut faire pour toi un ami quand on décide de construire un aéroport devant tes fenêtres ou quand on te licencie ? Si quelqu'un t'aide, c'est encore quelqu'un d'anonyme et d'invisible, une organisation d'aide sociale, une association pour la défense des consommateurs, un cabinet d'avocats. L'amitié n'est plus vérifiable par aucune épreuve. L'occasion ne se prête plus à chercher son ami blessé sur le champ de bataille, ni à dégainer le sabre pour le défendre contre des bandits. Nous traversons nos vies sans grands dangers, mais aussi sans amitié.

— Si c'est vrai, cela devrait te réconcilier avec F.

— J'admets volontiers qu'il n'aurait pas
compris mes reproches si je les lui avais
fait connaître. Quand les autres se sont
jetés sur moi, il s'est tu. Mais il faut que
je sois juste : il a considéré son silence
comme courageux. On m'a dit qu'il s'était
même vanté de ne pas avoir succombé à la
psychose qui régnait à mon égard et de
n'avoir rien dit qui pût me nuire. Il a donc
eu la conscience pure et il a dû se sentir
blessé quand, inexplicablement, j'ai cessé
de le voir. J'ai eu tort de vouloir de lui
plus que la neutralité. S'il s'était hasardé à
me défendre dans ce milieu hargneux et
méchant, il aurait risqué lui-même la disgrâce, des conflits, des ennuis. Comment
ai-je pu exiger cela de lui? D'autant plus
qu'il était mon ami! Cela a été de ma part
bien inamical! Disons-le autrement : cela
a été impoli. Car l'amitié vidée de son
contenu d'autrefois s'est transformée aujourd'hui en un contrat d'égards réciproques, bref, en un contrat de politesse.
Or, il est impoli de demander à un ami

une chose qui pourrait le gêner ou lui être désagréable.

— Mais oui, c'est comme ça. Encore faut-il que tu le dises sans amertume. Sans ironie.

— Je le dis sans ironie. C'est comme ça.

— Si la haine te frappe, si tu es inculpé, jeté en pâture, tu peux t'attendre à deux réactions de la part des gens qui te connaissent : les uns vont se joindre à la curée, les autres, discrètement, vont faire semblant de ne rien savoir, de ne rien entendre, si bien que tu pourras continuer à les voir et à leur parler. Cette deuxième catégorie, discrète, délicate, ce sont tes amis. Amis dans le sens moderne du mot. Écoute, Jean-Marc, cela, je le sais depuis toujours. »

17

Sur l'écran, on voit un derrière en position horizontale, beau, sexy, en gros plan. Une main le caresse tendrement, en savourant la peau de ce corps nu, dévoué, abandonné. Puis la caméra s'éloigne et on voit ce corps en entier, couché sur un petit lit : c'est un bébé au-dessus duquel se penche sa maman. Dans la séquence suivante, elle le soulève et ses lèvres entrouvertes embrassent la bouche molle, humide et grande ouverte du nourrisson. À ce moment la caméra se rapproche et le même baiser, isolé, en gros plan, devient soudain un sensuel baiser d'amour.

Là, Leroy arrêta le film : « Nous sommes toujours en quête d'une majorité. Comme les candidats à la présidence des États-Unis pendant la campagne électorale. Nous mettons un produit dans le cercle enchanté des images susceptibles de rassembler une majorité d'acheteurs. À la recherche d'images, nous avons tendance à surévaluer la sexualité. Je vous mets en garde. Seule une toute petite minorité se réjouit vraiment de la vie sexuelle. »

Leroy fit une pause pour savourer la surprise de la petite assemblée de collaborateurs qu'il convoque une fois par semaine à un séminaire autour d'une campagne, d'un spot, d'une affiche. Ils savent depuis longtemps que ce qui flatte leur chef, ce n'est pas leur accord précipité mais leur étonnement. C'est pourquoi une dame distinguée, portant plusieurs bagues à ses doigts vieillis, osa le contredire : « Tous les sondages affirment le contraire !

— Bien sûr, dit Leroy. Si quelqu'un vous interroge, ma chère dame, au sujet de votre sexualité, est-ce que vous allez dire la vérité ? Même si celui qui vous pose la question ne connaît pas votre nom, même s'il vous interroge par téléphone et ne vous voit pas, vous allez mentir : "Aimez-vous baiser ? — Et comment ! — Combien de fois ? — Six fois par jour ! — Aimez-vous les cochonneries ? — À la folie !" Mais tout cela, c'est de la frime. L'érotisme, commercialement, est une chose ambiguë car si tout le monde convoite la vie érotique, tout le monde aussi la hait comme la cause de ses malheurs, de ses frustrations, de ses envies, de ses complexes, de ses souffrances. »

Il leur fit revoir la même séquence du spot télévisuel ; Chantal regarde les lèvres humides touchant en gros plan les autres

lèvres humides et elle se rend compte
(c'est la première fois qu'elle s'en rend
compte si clairement) que Jean-Marc et
elle ne s'embrassent jamais de cette façon.
Elle en est elle-même étonnée : est-ce vrai ?
jamais ils ne se sont embrassés ainsi ?

Si. C'était quand ils ne se connaissaient
pas encore par leur nom. Dans la grande
salle d'un hôtel de montagne, parmi des
gens qui buvaient et bavardaient, ils se
dirent des banalités, mais le ton de leur
voix leur fit comprendre qu'ils avaient
envie l'un de l'autre et ils se retirèrent dans
un couloir désert où, sans un mot, ils
s'embrassèrent. Elle ouvrit la bouche et
poussa sa langue dans la bouche de Jean-
Marc, disposée à lécher tout ce qu'elle
trouverait à l'intérieur. Le zèle que mani-
festaient leurs langues n'était pas une
nécessité sensuelle, mais une hâte à faire
savoir à l'autre qu'ils étaient prêts à
s'aimer, tout de suite, entièrement, sau-
vagement et sans perdre de temps. Leurs
salives n'avaient rien à voir avec du désir
ou du plaisir, ce furent des messagers. Ils
n'avaient pas le courage de se dire directe-

ment et à voix haute « je veux faire l'amour avec toi, tout de suite, sans tarder », ils laissaient donc les salives parler en leur nom. C'est pourquoi pendant leur étreinte amoureuse (qui suivit de quelques heures leur premier baiser), leurs bouches, probablement (elle ne se rappelle plus, mais avec le recul du temps elle en est presque sûre), ne s'intéressaient plus l'une à l'autre, ne se touchaient pas, ne se léchaient pas et ne se rendaient même pas compte de ce scandaleux désintérêt réciproque.

Leroy arrêta de nouveau le spot : « Le hic c'est de trouver les images qui maintiennent l'attirance érotique sans exacerber les frustrations. C'est de ce point de vue que cette séquence nous intéresse : l'imagination sensuelle est aguichée mais immédiatement détournée dans le domaine de la maternité. Car le contact corporel intime, l'absence de secret personnel, la fusion des salives, ce n'est pas l'exclusivité de l'érotisme adulte, tout cela existe dans le rapport du bébé et de sa mère, dans ce rapport qui est le paradis originel de toutes les joies physiques. À propos, on a filmé la vie d'un fœtus à l'intérieur d'une future maman. Dans une position acrobatique qu'il nous serait impossible d'imiter, le fœtus pratiquait la fellation de son propre organe minuscule. Vous voyez, la sexualité n'est pas l'exclusivité des corps jeunes et bien bâtis qui suscitent une jalousie amère. L'autofellation d'un fœtus attendrira toutes les grands-mères du monde, même les plus aigries, même les plus prudes. Car c'est le bébé le dénominateur commun le plus fort, le plus large, le plus sûr de toutes les majorités. Et un fœtus, mes chers amis, c'est plus qu'un bébé, c'est un archi-bébé, un super-bébé ! »

Et encore une fois il leur fait regarder le même spot, et encore une fois Chantal ressent une légère répugnance à voir deux bouches humides se toucher. Elle se souvient qu'en Chine et au Japon, selon ce qu'on lui a raconté, la culture érotique ne connaît pas le baiser la bouche ouverte. L'échange des salives n'est donc pas une fatalité de l'érotisme, mais un caprice, une

déviation, une malpropreté spécifique-
ment occidentale.

La projection terminée, Leroy conclut :
« La salive des mamans, voilà la colle qui
unira cette majorité que nous voulons
regrouper pour en faire des clients de la
marque Roubachoff. » Et Chantal corrige
sa vieille métaphore : ce n'est pas un parfum de rose, immatériel, poétique, qui
passe à travers les hommes, mais les salives, matérielles et prosaïques, qui, avec
l'armée des microbes, passent de la bouche de la maîtresse à celle de son amant,
de l'amant à son épouse, de l'épouse à son
bébé, du bébé à sa tante, de la tante, serveuse dans un restaurant, à son client dans
la soupe duquel elle a craché, du client à
son épouse, de l'épouse à son amant et de
là à d'autres et d'autres bouches si bien
que chacun de nous est immergé dans une
mer de salives qui se mélangent et font de
nous une seule communauté de salives,
une seule humanité humide et unie.

18

Ce soir-là, dans le bruit des moteurs et des klaxons, elle rentra fatiguée à la maison. Impatiente de silence elle ouvrit la porte de l'immeuble et entendit des cris d'ouvriers et des coups de marteau. L'ascenseur était en panne. En montant, elle sentait la détestable chaleur l'envahir, et les coups de marteau résonnant dans toute la cage d'escalier étaient comme un roulement de tambours qui accompagnait cette chaleur, qui l'exacerbait, l'amplifiait, la glorifiait. Mouillée de sueur, elle s'arrêta devant la porte de l'appartement et attendit une minute pour que Jean-Marc ne la vît pas dans ce déguisement rouge.

« Le feu crématoire me présente sa carte de visite », se dit-elle. Cette phrase, elle ne l'avait pas inventée ; elle lui a traversé l'esprit sans qu'elle sût comment. Debout devant la porte, dans un bruit incessant, elle se la répéta plusieurs fois pour elle-même. Elle ne l'aima pas, cette phrase, son caractère ostentatoirement macabre lui parut de mauvais goût, mais elle ne réussit pas à la chasser.

Les marteaux, enfin, se turent, la chaleur commença à s'atténuer et elle entra. Jean-Marc l'embrassa mais, alors qu'il lui racontait quelque chose, les coups, bien qu'un tout petit peu amortis, résonnèrent de nouveau. Elle avait l'impression d'être pourchassée, de ne pouvoir se cacher nulle part. La peau toujours moite, elle dit sans aucun lien logique : « Le feu crématoire, c'est la seule façon de ne pas laisser notre corps à leur merci. »

Elle remarqua le regard surpris de Jean-Marc et réalisa l'incongruité de ce qu'elle venait de dire ; vite, elle commença à parler du spot qu'elle avait vu et de ce que Leroy leur avait raconté, et surtout du fœtus photographié à l'intérieur du ventre maternel. Qui, dans une position acrobatique, réussit une sorte de masturbation si parfaite qu'aucun adulte ne serait capable d'en faire autant.

« Un fœtus avec une vie sexuelle, figure-toi ! Il n'a encore aucune conscience, aucune individualité, aucune perception de rien, mais il éprouve déjà une pulsion sexuelle et, peut-être, du plaisir. Notre sexualité précède donc notre conscience de nous-mêmes. Notre moi n'existe pas encore, mais notre concupiscence est déjà là. Et figure-toi que cette idée a ému tous mes collègues ! Devant le fœtus masturbateur, ils avaient les larmes aux yeux !

— Et toi ?

— Oh, j'ai ressenti de la répulsion. Ah, Jean-Marc, de la répulsion. »

Étrangement émue, elle l'enlaça, se serra contre lui et resta ainsi quelques longues secondes.

Puis elle continua : « Tu te rends compte, même dans le ventre, qu'on dit sacré, de ta mère, tu n'es pas à l'abri. On te filme, on t'espionne, on observe ta masturbation. Ta pauvre masturbation de fœtus. Tu ne leur échapperas pas vivant, ça tout le monde le sait. Mais tu ne leur échappes même pas avant ta naissance. Comme tu ne leur échapperas pas après ta mort. Je me rappelle ce que j'ai lu jadis dans un journal : on a soupçonné d'imposture quelqu'un qui avait vécu sous le nom d'un grand aristocrate russe exilé. Après sa mort, pour le confondre, on a retiré de la tombe les vieux restes d'une paysanne supposée être sa mère. On a disséqué ses os, on a examiné ses gènes. J'aimerais bien savoir quelle noble cause leur a donné le droit de la déterrer, la pauvre femme ! De fouiller sa nudité, cette nudité absolue, cette supranudité du squelette ! Ah, Jean-Marc, je ne ressens que de la répulsion, que de la répulsion. Et connais-tu l'histoire de la tête de Haydn ? On l'a coupée du cadavre encore chaud pour qu'un savant cinglé puisse éplucher le cerveau et préciser l'endroit où réside le génie de la musique. Et l'histoire d'Einstein ? Soigneusement, il avait rédigé son testament pour qu'on l'incinère. On lui a obéi, mais son disciple, fidèle et dévoué, a refusé de vivre sans le regard du maître. Avant l'incinération, il a prélevé les yeux sur le cadavre et les a mis dans une bouteille d'alcool pour qu'ils le regardent jusqu'au moment où lui-même mourrait. C'est pour cela que je viens de te dire qu'il n'y a que le feu crématoire pour que notre corps leur échappe. C'est la seule mort absolue. Et je n'en veux aucune autre. Jean-Marc, je veux une mort absolue. »

Après une pause, les coups de marteau résonnèrent encore une fois dans la pièce.

« Il n'y a qu'incinérée que j'aurai la certitude de ne plus les entendre.

— Chantal, qu'est-ce que tu as ? »

Elle le regarda, puis lui tourna le dos, de nouveau émue. Émue, cette fois-ci, non pas par ce qu'elle venait de dire mais par la voix de Jean-Marc, lourde de la sollicitude qu'il avait pour elle.

19

Le jour suivant elle est allée au cimetière (comme elle le fait au moins une fois par mois) et s'est arrêtée devant la tombe de son fils. Quand elle est là, elle parle toujours avec lui et ce jour-là, comme si elle avait besoin de s'expliquer, de se justifier, elle lui dit, mon chéri, mon chéri, ne pense pas que je ne t'aime pas ou que je ne t'ai pas aimé, mais c'est précisément parce que je t'ai aimé que je n'aurais pu devenir celle que je suis si tu étais toujours là. Il est impossible d'avoir un enfant et de mépriser le monde tel qu'il est, parce que c'est dans ce monde que nous l'avons envoyé. C'est à cause de l'enfant que nous nous attachons au monde, pensons à son avenir, participons volontiers à ses bruits, à ses agitations, prenons au sérieux son incurable bêtise. Par ta mort, tu m'as privée du plaisir d'être avec toi, mais en même temps tu m'as rendue libre. Libre dans mon face-à-face avec le monde que je n'aime pas. Et si je peux me permettre de ne pas l'aimer, c'est parce que tu n'es plus là. Mes pensées sombres ne peuvent plus t'apporter aucune malédiction. Je veux te dire maintenant, tant d'années après que tu m'as quittée, que j'ai compris ta mort comme un cadeau et que j'ai fini par l'accepter, ce terrible cadeau.

20

Le lendemain matin, elle trouva une enveloppe dans la boîte, avec la même écriture de l'inconnu. La lettre n'avait plus aucune légèreté laconique. Elle ressemblait à un long procès-verbal. « Samedi dernier, écrit son correspondant, il était 9 heures 25, vous êtes sortie de votre maison plus tôt que les autres jours. J'ai l'habitude de vous suivre sur votre trajet vers l'autobus, mais cette fois vous avez pris la direction opposée. Vous portiez une valise et vous êtes entrée dans une teinturerie. La patronne doit bien vous connaître et peut-être vous aimer. Je l'ai observée de la rue : comme réveillée d'une somnolence, son visage est devenu rayonnant, vous avez certainement plaisanté, j'ai entendu son rire, rire que vous avez provoqué et dans lequel j'ai cru voir le reflet de votre visage. Puis, vous êtes sortie, la valise pleine. Étaient-ce vos pull-overs ou des nappes ou du linge ? En tout cas, votre valise me donnait l'impression de quelque chose d'artificiellement ajouté à votre vie. » Il décrit sa robe et les perles autour de son cou. « Ces perles, je ne les ai jamais vues avant. Elles sont belles. Leur couleur rouge vous va bien. Elle vous illumine. »

Cette lettre est signée : C.D.B. Cela l'intrigue. La première n'avait pas de signature et elle a pu penser que cet anonymat était, pour ainsi dire, sincère. Un inconnu qui lui fait un salut pour disparaître aussitôt. Mais une signature, même abrégée, témoigne de l'intention de se faire reconnaître, pas à pas, lentement, mais inévitablement. C.D.B., se répète-t-elle en souriant : Cyrille-Didier Bourguiba. Charles-David Barberousse.

Elle réfléchit sur le texte : cet homme a dû la suivre dans la rue ; « je vous suis comme un espion », a-t-il écrit dans sa première lettre ; elle aurait donc dû le voir. Mais elle regarde le monde autour d'elle avec peu d'intérêt, et ce jour-là encore moins puisque Jean-Marc était avec elle. D'ailleurs c'est lui et non pas elle qui a fait rire la patronne de la teinturerie et qui a porté la valise. Elle relit encore ces mots : « votre valise me donnait l'impression de quelque chose d'artificiellement ajouté à votre vie ». Comment la valise était-elle « ajoutée à sa vie », si Chantal ne la portait pas ? Cette chose « ajoutée à sa vie », n'est-ce pas Jean-Marc lui-même? Son correspondant a-t-il voulu attaquer ainsi, de façon détournée, son bien-aimé? Puis, amusée, elle se rend compte du comique de sa réaction : elle est capable de défendre Jean-Marc même auprès d'un amant imaginaire.

Comme la première fois, elle ne savait que faire de la lettre et le ballet de l'hésitation se répétait avec toutes ses phases : elle contempla la cuvette des W.-C. où elle s'apprêta à la jeter; elle déchira l'enveloppe en petits morceaux qu'elle fit disparaître avec l'eau; elle plia ensuite la lettre, l'emporta dans sa chambre et la glissa sous ses soutiens-gorge. En se penchant vers l'étagère de linge, elle entendit la porte s'ouvrir. Elle ferma vite l'armoire et se retourna : Jean-Marc est sur le seuil.

Il va lentement vers elle et la regarde comme jamais auparavant, d'un regard désagréablement concentré, et quand il est tout près d'elle il la prend par les coudes et, la maintenant éloignée à quelque trente centimètres de son corps, il ne cesse de la regarder. Elle en est confuse, incapable de rien dire. Quand sa confusion devient insupportable, il la serre contre lui et dit en riant : « Je voulais regarder ta paupière qui te lave la cornée comme un essuie-glace lave un pare-brise. »

21

Depuis sa dernière rencontre avec F., il y pense : l'œil : la fenêtre de l'âme ; le centre de la beauté du visage ; le point où se concentre l'identité d'un individu ; mais en même temps un instrument de vision qui doit être sans cesse lavé, mouillé, entretenu par un liquide spécial pourvu d'une dose de sel. Le regard, la plus grande merveille que possède un homme, est donc interrompu régulièrement par un mouvement mécanique de lavage. Comme un pare-brise lavé par un essuie-glace. Aujourd'hui, on peut d'ailleurs régler la vitesse de l'essuie-glace de façon que cha-que mouvement soit interrompu par une pause de dix secondes, ce qui est, à peu près, le rythme d'une paupière.

Jean-Marc regarde les yeux de ceux avec qui il parle et essaie d'observer le mouvement de la paupière ; il constate que ce n'est pas facile. On n'est pas habitué à prendre conscience de la paupière. Il se dit : il n'y a rien que je voie plus souvent que les yeux des autres, donc les paupières et leur mouvement. Et pourtant, je ne le retiens pas, ce mouvement. Je le soustrais aux yeux que j'ai en face de moi.

Et il se dit encore : en bricolant dans son atelier, Dieu était arrivé, par hasard, à ce modèle de corps dont nous sommes tous obligés, pour un court laps de temps, de devenir l'âme. Mais quel sort lamentable que d'être l'âme d'un corps fabriqué à la légère et dont l'œil ne peut regarder sans être lavé toutes les dix, vingt secondes ! Comment croire que l'autre en face de nous est un être libre, indépendant, maître de lui-même ? Comment croire que son corps est l'expression fidèle d'une âme qui l'habite ? Pour pouvoir le croire, il a fallu oublier le clignotement perpétuel de la paupière. Il a fallu oublier l'atelier de bricolage d'où nous provenons.

Il a fallu se soumettre à un contrat de l'oubli. C'est Dieu lui-même qui nous l'a imposé.

Mais il y eut certainement, entre l'enfance et l'adolescence de Jean-Marc, une courte période où il n'avait pas encore pris connaissance de cet engagement de l'oubli et où, abasourdi, il regardait la paupière glisser sur l'œil : il constata que l'œil n'est pas une fenêtre par laquelle on voit une âme, unique et miraculeuse, mais un appareil bâclé que quelqu'un, depuis des temps immémoriaux, avait mis en mouvement. Ce moment de subite lucidité adolescente dut être un choc. « Tu t'es arrêté, lui avait dit F., tu m'as dévisagé et tu m'as dit d'un ton curieusement ferme : il me suffit de voir comment son œil clignote... » Il ne s'en souvenait pas. Ç'avait été un choc destiné à l'oubli. Et, en effet, il l'aurait à jamais oublié si F. ne le lui avait pas rappelé.

Plongé dans ses pensées, il rentra à la maison et ouvrit la porte de la chambre de Chantal. Elle était en train de ranger quelque chose dans son armoire et Jean-Marc avait envie de voir la paupière essuyer son œil, son œil qui est pour lui la fenêtre d'une ineffable âme. Il alla vers elle, la saisit par les coudes et regarda ses yeux ; en effet, ils clignotaient, même assez vite, comme si elle savait qu'elle était en train de subir un examen.

Il voyait la paupière descendre et monter, vite, trop vite, et il voulait retrouver sa propre sensation, la sensation du Jean-Marc de seize ans qui avait considéré ce mécanisme oculaire comme désespérément décevant. Mais la vitesse anormale de la paupière et l'irrégularité soudaine de ses mouvements l'attendrissaient plus qu'elles ne le décevaient : dans l'essuie-glace de la paupière de Chantal, il voyait l'aile de son âme, l'aile qui tremblait, qui paniquait, qui se débattait. L'émotion fut brusque comme un éclair et il serra Chantal contre lui.

Puis il desserra son étreinte et vit son visage, confus, effarouché. Il lui dit : « Je voulais regarder ta paupière qui te lave la cornée comme un essuie-glace lave un pare-brise.

— Je ne comprends rien à ce que tu me racontes », dit-elle, subitement détendue.

Et il lui parla du souvenir oublié qu'avait évoqué son ami désaimé.

22

« Quand F. m'a rappelé la réflexion que je suis censé avoir faite lorsque j'étais lycéen, j'ai eu l'impression d'entendre quelque chose de totalement absurde.

— Mais non, lui dit Chantal, tel que je te connais, tu l'as certainement dit. Tout correspond. Souviens-toi de ta médecine ! »

Il ne sous-estimait jamais le moment magique qu'est pour un homme le choix de son métier. Sachant bien que la vie est trop courte pour que ce choix ne soit pas irréparable, il avait été angoissé de constater qu'aucun métier ne l'attirait spontanément. Avec scepticisme, il avait examiné l'éventail des possibilités qui s'offraient : les procureurs qui consacrent toute leur vie à la persécution des autres ; les instituteurs, souffre-douleur des enfants mal élevés; les disciplines techniques, dont le progrès apporte avec un petit avantage une énorme nocivité; le bavardage aussi sophistiqué que vide des sciences humaines; l'architecture intérieure (elle l'attirait en raison du souvenir de son grand-père qui était menuisier) complètement asservie aux modes qu'il détestait; le métier des pauvres pharmaciens réduits à être des vendeurs de boîtes et de flacons. Quand il se demandait : quel métier choisir pour toute ma vie? son for intérieur tombait dans le plus embarrassé des silences. Si, à la fin, il s'était décidé pour la médecine, il n'avait obéi à aucune attirance secrète mais à un idéalisme altruiste : il considérait la médecine comme la seule occupation incontestablement utile à l'homme et dont les progrès techniques apportent le minimum d'effets négatifs.

Les déceptions n'ont pas tardé quand, au cours de la deuxième année, il dut passer son temps dans la salle de dissection : il subit un choc dont il ne s'est jamais remis : il était incapable de regarder la mort en face ; peu après il s'avoua que la vérité était pire encore : il était incapable de regarder le corps en face : sa fatale, irresponsable imperfection ; l'horloge de décomposition qui régit sa marche ; son sang, ses entrailles, sa douleur.

Quand il avait parlé à F. de son dégoût pour le mouvement de la paupière, il devait avoir seize ans. Quand il avait décidé d'aller étudier la médecine, il devait en avoir dix-neuf ; à cette époque, ayant déjà signé le contrat de l'oubli, il ne se souvenait plus de ce qu'il avait dit à F. trois ans auparavant. Dommage pour lui. Ce souvenir aurait pu alors le mettre en garde. Il aurait pu lui faire comprendre que son choix pour la médecine était tout théorique, arrêté sans la moindre connaissance de soi.

Ainsi avait-il étudié la médecine pendant trois années avant d'abandonner avec un sentiment de naufrage. Que choisir d'autre après ces années perdues ? À quoi s'accrocher si son for intérieur restait aussi muet qu'avant ? Il descendit pour la dernière fois le large escalier extérieur de la faculté avec le sentiment qu'il allait se trouver seul sur un quai d'où tous les trains étaient partis.

23

Pour identifier son correspondant, discrètement mais attentivement Chantal regardait autour d'elle. Au coin de leur rue il y avait un bistro : le lieu idéal pour qui voudrait l'espionner ; de là, on voit l'entrée de sa maison, les deux rues par lesquelles elle passe tous les jours et la station de son autobus. Elle entra, s'assit, commanda un café et examina les clients. Au comptoir, elle vit un jeune homme qui, quand elle était entrée, avait détourné les yeux. C'était un client régulier qu'elle connaissait de vue. Elle se rappela même que, jadis, leurs regards s'étaient plusieurs fois rencontrés et que, par la suite, il faisait semblant de ne plus la voir.

Un autre jour, elle le montra à sa voisine. « Mais c'est monsieur Dubarreau ! — Dubarreau ou du Barreau ? » La voisine ne savait pas. « Et son prénom ? Vous le connaissez ? » Non, elle ne le connaissait pas.

Du Barreau, cela correspondrait bien. En ce cas, son admirateur ne serait pas un Charles-Didier ni un Christophe-David, le D représenterait la particule et du Barreau n'aurait qu'un seul prénom. Cyrille du Barreau. Ou mieux : Charles. Elle imagine une famille d'aristocrates de province ruinés. Famille risiblement fière de sa particule. Elle se représente Charles du Barreau devant le comptoir, affichant son indifférence, et elle se dit que cette particule lui va, qu'elle correspond parfaitement à son comportement blasé.

Peu après, elle marche dans la rue avec Jean-Marc, et du Barreau arrive en face. Elle a autour du cou les perles rouges. C'est un cadeau de Jean-Marc, mais, les trouvant trop voyantes, elle ne les porte que rarement. Elle se rend compte qu'elle les a mises parce que du Barreau les a trouvées belles. Il devrait penser (et à juste titre, d'ailleurs !) que c'est à cause de lui, que c'est pour lui qu'elle les porte. Brièvement il la regarde, elle le regarde aussi et, pensant aux perles, elle rougit. Elle rougit jusqu'aux seins et elle est sûre qu'il a dû s'en apercevoir. Mais ils l'ont déjà croisé, il est déjà loin d'eux et c'est Jean-Marc qui s'étonne : « Tu as rougi ! Mais pourquoi ? Que se passe-t-il ? »

Elle aussi s'étonne ; pourquoi a-t-elle rougi ? Par honte d'accorder une trop grande attention à cet homme ? Mais l'attention qu'elle lui accorde n'est qu'une insignifiante curiosité ! Mon Dieu, pourquoi, ces derniers temps, rougit-elle si souvent, si facilement, comme une adolescente ?

Adolescente, en effet, elle rougissait beaucoup ; elle était au début du parcours physiologique de la femme et son corps devenait quelque chose d'encombrant dont elle avait honte. Adulte, elle a oublié de rougir. Puis, les bouffées de chaleur lui annoncèrent la fin du parcours, et son corps, de nouveau, lui fit honte. Sa pudeur réveillée, elle réapprit à rougir.

24

D'autres lettres arrivèrent et elle fut de moins en moins capable de les négliger. Elles étaient intelligentes, décentes, sans rien de ridicule, sans rien d'importun. Son correspondant ne voulait rien, ne demandait rien, n'insistait sur rien. Il avait la sagesse (ou la ruse) de laisser dans l'ombre sa propre personnalité, sa vie, ses sentiments, ses désirs. C'était un espion ; il n'écrivait que sur elle. Ce n'étaient pas des lettres de séduction mais d'admiration. Et si la séduction y était, elle était conçue comme un long chemin. La lettre qu'elle venait de recevoir était pourtant plus téméraire : « Pendant trois jours, je vous ai perdue de vue. Quand je vous ai revue, j'ai été émerveillé par votre allure si légère, si assoiffée des hauteurs. Vous ressembliez aux flammes qui, pour exister, doivent danser et s'élever. Plus longiligne que jamais, vous marchiez entourée de flammes, des flammes gaies, bachiques, enivrées, sauvages. En pensant à vous, je jette sur votre corps nu un manteau cousu de flammes. Je voile votre corps blanc d'un manteau carmin de cardinal. Et, ainsi drapée, je vous envoie dans une chambre rouge, sur un lit rouge, ma cardinale rouge, bellissime cardinale ! »

Quelques jours plus tard, elle acheta une chemise de nuit rouge. Elle était à la maison et se regardait dans la glace. Elle se regardait sous tous les angles, relevait lentement l'ourlet de sa chemise et avait l'impression de n'avoir jamais été si longiligne, de n'avoir jamais eu la peau si blanche.

Jean-Marc arriva. Il fut surpris en la voyant qui, d'un pas coquet et séducteur, dans une chemise rouge magnifiquement coupée, marchait vers lui, le contournait, lui échappait, se laissait approcher pour de nouveau le fuir. S'étant laissé séduire par le jeu, il la poursuivit par tout l'appartement. D'emblée, la situation immémoriale d'une femme pourchassée par un homme est là et le fascine. Elle court autour de la grande table ronde, elle-même enivrée par l'image d'une femme qui court devant un homme qui la désire, puis elle se sauve sur le lit et retrousse sa chemise jusqu'au cou. Il l'aime ce jour-là avec une force nouvelle et inattendue, et subitement elle a l'impression que quelqu'un est ici, dans la chambre, qui les observe avec une attention folle, elle voit son visage, le visage de Charles du Barreau qui lui a imposé sa chemise rouge, qui lui a imposé cet acte d'amour, et en l'imaginant elle crie de jouissance.

Maintenant, ils respirent l'un à côté de l'autre, et l'image de celui qui l'espionne l'excite ; elle souffle dans l'oreille de Jean-Marc des propos sur le manteau carmin qu'elle a mis sur son corps tout nu pour traverser ainsi, bellissime cardinale, l'église bourrée de monde. À ces mots, il la reprend et, balancé sur les vagues de fantaisies qu'elle ne cesse de lui dire, il lui refait l'amour.

Puis, tout se calme ; ne reste devant ses yeux que sa chemise rouge, froissée par leurs corps, à un coin du lit. Devant ses yeux à demi fermés, cette tache rouge se transforme en une plate-bande de roses et elle sent le parfum frêle presque oublié, le parfum de la rose désirant embrasser tous les hommes.

25

Le jour suivant, un samedi matin, elle ouvrit la fenêtre et vit le ciel admirablement bleu. Elle se sentit heureuse et gaie et, tout à trac, elle dit à Jean-Marc qui était sur le point de sortir :

« Que peut bien faire mon pauvre Britannicus ?

— Pourquoi ?

— Est-ce qu'il est encore lubrique ? Est-ce qu'il est encore en vie ?

— Pourquoi te souviens-tu de lui ?

— Je ne sais pas. Comme ça. »

Jean-Marc partit et elle resta seule. Elle alla à la salle de bains, puis vers son armoire, avec l'envie de se faire très belle. Elle regarda les étagères et quelque chose attira son attention. Sur celle du linge, en haut d'une pile, son châle reposait bien plié, alors qu'elle se rappelait l'y avoir jeté tout négligemment. Quelqu'un avait-il mis de l'ordre dans ses affaires? La femme de ménage vient une fois par semaine et ne s'occupe jamais de ses armoires. Elle s'étonna de son talent d'observation et se dit qu'elle le devait à l'éducation acquise autrefois pendant ses séjours dans la villa de vacances. Là-bas, elle s'était sentie à tel point épiée qu'elle avait appris à garder en mémoire la façon exacte dont elle rangeait ses affaires afin de pouvoir reconnaître le moindre changement qu'y aurait laissé une main étrangère. Ravie que ce passé fût révolu, elle se regarda, satisfaite, dans un miroir et sortit. En bas, elle ouvrit la boîte où une nouvelle lettre l'attendait. Elle la mit dans son sac et réfléchit à l'endroit où elle la lirait. Elle trouva un petit jardin public où elle s'assit sous l'immense ramure automnale d'un tilleul jaunissant, embrasé par le soleil.

« ... vos talons qui sonnent sur le trottoir me font penser aux chemins que je n'ai pas parcourus et qui se ramifient comme les branches d'un arbre. Vous avez réveillé en moi l'obsession de ma prime jeunesse :

j'imaginais la vie devant moi comme un arbre. Je l'appelais alors l'arbre des possibilités. Ce n'est que pendant un court moment qu'on voit la vie ainsi. Ensuite, elle apparaît comme une route imposée une fois pour toutes, comme un tunnel d'où on ne peut sortir. Pourtant, l'ancienne apparition de l'arbre reste en nous sous la forme d'une indélébile nostalgie. Vous m'avez rappelé cet arbre et je veux, en retour, vous transmettre son image, vous faire entendre son murmure envoûtant. »

Elle leva la tête. Au-dessus, tel un plafond d'or orné d'oiseaux, la ramure du tilleul s'étendait. Comme si c'était le même arbre que celui dont parlait la lettre. L'arbre métaphorique se confondait dans son esprit avec sa vieille métaphore de la rose. Il fallait qu'elle rentre à la maison. En signe d'adieu elle leva encore une fois les yeux vers le tilleul et s'en alla.

À vrai dire, la rose mythologique de son adolescence ne lui a pas procuré beaucoup d'aventures et ne lui évoque même aucune situation concrète — à part le souvenir plutôt drôle d'un Anglais, beaucoup plus âgé qu'elle, qui, au moins une dizaine d'années plus tôt, en visite à l'agence, lui a fait la cour pendant une demi-heure. Ce n'est qu'ensuite qu'elle apprit sa renommée de grand coureur, de partouzard. La rencontre est restée sans conséquences sauf qu'elle est devenue un sujet de plaisanteries avec Jean-Marc (c'est lui qui lui a donné le sobriquet de Britannicus) et qu'elle a illuminé en elle quelques mots qui, jusqu'alors, lui étaient indifférents : le mot partouze, par exemple, et aussi le mot Angleterre qui, contrairement à ce qu'il éveille chez les autres, représente pour elle l'endroit du plaisir et du vice.

Sur le chemin du retour, elle entend toujours le brouhaha des oiseaux du tilleul et voit le vieil Anglais vicieux ; dans les brumes de ces images, elle avance de son pas oisif jusqu'à ce qu'elle approche de la rue où elle habite ; là, quelque cinquante mètres devant elle, on a sorti les tables du bistro sur le trottoir et son jeune correspondant y est assis, seul, sans livre, sans journal, il ne fait rien, il a devant lui un ballon de rouge et regarde dans le vide avec l'expression d'une heureuse paresse qui correspond à celle de Chantal. Son cœur se met à battre. Que tout cela est diaboliquement agencé! Comment pouvait-il savoir qu'il la rencontrerait juste après qu'elle aurait lu sa lettre? Troublée, comme si elle marchait nue sous un manteau rouge, elle s'approche de lui, de l'espion de ses intimités. Elle n'est éloignée que de quelques pas et attend le moment où il l'apostrophera. Que fera-t-elle? Elle n'a jamais voulu cette rencontre! Mais elle ne peut se sauver en courant comme une jeune fille craintive. Ses pas ralentissent, elle essaie de ne pas le regarder (mon Dieu, elle se comporte vraiment comme une jeune fille, est-ce que cela signifie qu'elle a tellement vieilli?), mais curieusement, avec une divine indifférence, assis devant son ballon de rouge, il regarde dans le vide et semble ne pas la voir.

Elle est déjà loin de lui, continuant son chemin vers la maison. Du Barreau n'a pas osé? Ou s'est-il dominé? Mais non, mais non. Son indifférence a été d'une telle sincérité que Chantal ne peut plus en douter : elle s'est trompée ; elle s'est grotesquement trompée.

26

Le soir, elle est allée avec Jean-Marc au restaurant. À la table à côté, un couple était plongé dans un silence sans fin. Gérer un silence exposé aux yeux des autres n'est pas chose facile. Où doivent-ils diriger leur regard, ces deux-là ? Il serait comique qu'ils se regardent les yeux dans les yeux sans rien se dire. Fixer le plafond ? Cela apparaîtrait comme l'exhibition de leur mutisme. Observer les tables voisines ? Ils risqueraient de rencontrer des regards amusés par leur silence, et ce serait encore pire.

Jean-Marc dit à Chantal : « Écoute, ce n'est pas qu'ils se détestent. Ou que l'indifférence ait remplacé l'amour. Tu ne peux pas mesurer l'affection réciproque de deux êtres humains d'après la quantité de mots qu'ils échangent. Tout simplement leurs têtes sont vides. Peut-être même que c'est par délicatesse qu'ils refusent de se parler, n'ayant rien à se dire. Contrairement à ma tante du Périgord. Quand je la rencontre, elle parle sans la moindre pause. J'ai essayé de comprendre la méthode de sa volubilité. Elle double en paroles tout ce qu'elle voit et tout ce qu'elle fait. Qu'elle s'est réveillée le matin, qu'elle n'a pris que du café noir pour le petit déjeuner, que son mari est allé ensuite se promener, imagine, Jean-Marc, quand il est revenu il a regardé la télé, imagine ! il a zappé et puis, fatigué de télé, il a feuilleté des livres. Et ainsi — ce sont ses mots — le temps lui passe... Tu sais, Chantal, j'aime beaucoup ces phrases simples, ordinaires, et qui sont comme la définition d'un mystère. Ce " et ainsi le temps lui passe " est une phrase fondamentale. Leur problème c'est le temps, faire que le temps passe, passe de lui-même, seul, sans effort de leur part, sans qu'ils soient obligés, tels des marcheurs épuisés, de le traverser eux-mêmes, et c'est la raison pour laquelle elle parle, parce que les mots qu'elle débite font discrètement bouger le temps, tandis que, lorsque sa bouche reste fermée, le temps s'immobilise, sort de l'obscurité, énorme, lourd, et fait peur à ma pauvre tante qui, paniquée, cherche vite quelqu'un à qui elle pourrait raconter que sa fille a des soucis avec son enfant qui a la diarrhée, oui, Jean-Marc, la diarrhée, la diarrhée, elle est allée voir un médecin, tu ne le connais pas, il n'habite pas loin de chez nous, nous le connaissons depuis pas mal d'années, oui, Jean-Marc, depuis pas mal d'années, il m'a aussi soignée, ce médecin, l'hiver où j'ai eu la grippe, tu te rappelles, Jean-Marc, j'ai eu une fièvre horrible... »

Chantal sourit et Jean-Marc raconta un autre souvenir : « J'avais à peine quatorze ans et mon grand-père, pas le menuisier, l'autre, était mourant. Durant des jours, de sa bouche sortait un son qui ne ressemblait à rien, même pas à un gémissement parce qu'il ne souffrait pas, ni aux mots qu'il n'aurait pas réussi à articuler, non, il n'avait pas perdu la parole, tout simple-

ment il n'avait rien à dire, rien à communi-
quer, aucun message concret, il n'avait
même pas à qui parler, il ne s'intéressait
plus à personne, il était seul avec le son
qu'il émettait, un seul son, un aaaaa qui ne
s'interrompait qu'aux moments où il devait
inspirer de l'air. Je l'ai regardé, comme
hypnotisé, et je n'ai jamais oublié cela car,
tout enfant que j'étais, j'ai cru comprendre :
voilà l'existence en tant que telle confron-
tée au temps en tant que tel ; et j'ai compris
que cette confrontation s'appelle l'ennui.
L'ennui de mon grand-père s'exprimait par
ce son, par ce aaaaa infini, parce que sans
ce aaaaa le temps l'aurait écrasé, et mon
grand-père n'avait contre le temps que
cette seule arme à brandir, ce pauvre aaaaa
qui n'en finissait pas.

— Tu veux dire qu'il mourait et s'en-
nuyait ?

— C'est ce que je veux dire. »

Ils parlent de la mort, de l'ennui, ils
boivent du bordeaux, ils rient, ils s'amu-
sent, ils sont heureux.

Puis Jean-Marc revint à son idée : « Je
dirais que la quantité d'ennui, si l'ennui

est mesurable, est aujourd'hui beaucoup plus élevée qu'autrefois. Parce que les métiers de jadis, au moins pour une grande part, n'étaient pas pensables sans un attachement passionnel : les paysans amoureux de leur terre; mon grand-père, le magicien des belles tables; les cordonniers qui connaissaient par cœur les pieds de tous les villageois; les forestiers; les jardiniers; je suppose que même les soldats tuaient alors avec passion. Le sens de la vie n'était pas une question, il était avec eux, tout naturellement, dans leurs ateliers, dans leurs champs. Chaque métier avait créé sa propre mentalité, sa propre façon d'être. Un médecin pensait autrement qu'un paysan, un militaire avait un autre comportement qu'un instituteur. Aujourd'hui nous sommes tous pareils, tous unis par la commune indifférence envers notre travail. Cette indifférence est devenue passion. La seule grande passion collective de notre temps. »

Chantal dit : « Pourtant, dis-moi, toi-même, quand tu as été moniteur de ski, quand tu as écrit dans des magazines sur l'architecture intérieure ou plus tard sur la médecine, ou bien quand tu as travaillé comme dessinateur dans une menuiserie...

— ... oui, c'est ce que j'ai aimé le plus, mais cela n'a pas marché...

— ... ou bien quand tu as été au chômage sans rien faire du tout, tu aurais dû t'ennuyer toi aussi!

— Tout a changé quand je t'ai connue. Non pas parce que mes petits travaux sont devenus plus passionnants. Mais parce que je transforme tout ce qui se passe autour de moi en matière de nos conversations.

— On pourrait parler d'autre chose!

— Deux êtres qui s'aiment, seuls, isolés du monde, c'est très beau. Mais de quoi nourriraient-ils leurs tête-à-tête? Si méprisable que soit le monde, ils en ont besoin pour pouvoir se parler.

— Ils pourraient se taire.

— Comme ces deux-là, à la table d'à côté? rit Jean-Marc. Oh non, aucun amour ne survit au mutisme. »

27

Le garçon se penchait au-dessus de leur table avec le dessert. Jean-Marc passa à un autre sujet : « Tu connais ce mendiant qu'on voit de temps en temps dans notre rue.

— Non.

— Mais si, tu l'as certainement remarqué. Cet homme dans les quarante ans qui a l'air d'un fonctionnaire ou d'un professeur de lycée et qui, pétrifié d'embarras, tend la main pour solliciter quelques francs. Tu ne vois pas ?

— Non.

— Mais si ! Il se plante toujours sous un platane, le seul d'ailleurs qu'on ait laissé dans la rue. Tu peux même voir son feuillage de la fenêtre. »

L'image du platane, subitement, le lui évoqua : « Ah oui ! Je vois !

— J'ai eu l'immense envie de lui parler, d'entamer une conversation, d'apprendre plus exactement qui il est, mais tu n'as aucune idée combien c'est difficile. »

Chantal n'entend pas les derniers mots de Jean-Marc; elle voit le mendiant. L'homme sous un arbre. Un homme effacé dont la discrétion frappe les yeux. Toujours impeccablement habillé, de sorte que les passants comprennent à peine qu'il mendie. Il y a quelques mois, il s'est adressé à elle et, très poliment, lui a demandé l'aumône.

Jean-Marc continuait : « C'est difficile parce qu'il doit être méfiant. Il ne comprendrait pas pourquoi je voudrais lui parler. Par curiosité? Il doit avoir peur de ça. Par pitié? C'est humiliant. En lui proposant quelque chose? Mais que devrais-je lui proposer? J'ai essayé de me mettre dans sa peau pour comprendre ce qu'il pourrait attendre des autres. Je n'ai rien trouvé. »

Elle l'imagine sous son arbre, et c'est cet arbre qui lui fait comprendre, subitement, en un éclair, que l'auteur des lettres, c'est lui. C'est par sa métaphore de l'arbre qu'il s'est trahi, lui, l'homme sous l'arbre, rempli de l'image de son arbre. Rapidement, ses réflexions s'enchaînent : personne d'autre que lui, l'homme sans emploi et qui dispose de tout son temps, ne peut discrètement mettre une lettre dans sa boîte, personne d'autre que lui, voilé de sa néantise, ne peut la suivre inaperçu dans sa vie quotidienne.

Et Jean-Marc poursuivait : « Je pourrais lui dire, venez m'aider à ranger la cave. Il refuserait, non pas par paresse, mais parce qu'il n'a pas de vêtements pour travailler et a besoin de garder son costume intact. Pourtant, je voudrais tellement parler avec lui. Car c'est mon alter ego ! »

N'écoutant pas Jean-Marc, Chantal dit : « Quelle peut bien être sa vie sexuelle ?

— Sa vie sexuelle, rit Jean-Marc, nulle, nulle ! Des rêves ! »

Des rêves, se dit Chantal. Elle n'est donc que le rêve d'un malheureux. Pourquoi l'a-t-il choisie, justement elle ?

Et Jean-Marc de revenir à son idée fixe : « Un jour je voudrais lui dire, venez boire un café avec moi, vous êtes mon alter ego. Vous vivez le sort auquel je n'ai échappé que par hasard.

— Ne dis pas de bêtises, dit Chantal. Tu n'as pas été menacé d'un tel sort.

— Je n'oublie jamais le moment où j'ai quitté la faculté et où j'ai compris que tous les trains étaient partis.

— Oui, je sais, je sais, dit Chantal qui a entendu déjà plusieurs fois cette histoire, mais comment peux-tu comparer ton petit échec avec les vrais malheurs d'un homme qui attend qu'un passant lui mette un franc dans la main ?

— Ce n'est pas un échec de renoncer à des études, ce à quoi j'ai renoncé alors c'étaient les ambitions. J'ai soudain été un homme sans ambitions. Et ayant perdu mes ambitions, je me suis retrouvé d'emblée en marge du monde. Et, pis encore : je n'avais aucune envie de me trouver ailleurs. J'en avais d'autant moins envie qu'aucune misère ne me menaçait. Mais si tu n'as pas d'ambitions, si tu n'es pas avide de réussir, d'être reconnu, tu t'installes au bord de la chute. Je m'y suis installé, il est vrai en toute commodité. N'empêche que c'est au bord de la chute que je me suis installé. Je suis donc, sans exagérer, du côté de ce mendiant et non pas du côté du patron de ce

magnifique restaurant où je me plais tellement. »

Chantal se dit : je suis devenue l'idole
érotique d'un mendiant. Voilà un honneur
bien bouffon. Puis elle se corrige : et pourquoi les désirs d'un mendiant seraient-ils
moins respectables que ceux d'un homme
d'affaires ? Étant sans espoir, ces désirs ont
une qualité inappréciable : ils sont libres et
sincères.

Ensuite, une autre idée lui vient : le jour
où, en chemise de nuit rouge, elle faisait
l'amour avec Jean-Marc, ce tiers qui les a
observés, qui était avec eux, ce n'était pas
le jeune homme du bistro, c'était ce mendiant ! En effet, c'est lui qui a jeté sur ses
épaules le manteau rouge, c'est lui qui a
fait d'elle une vicieuse cardinale ! Pendant
quelques instants, cette idée lui paraît
pénible, gênante, mais son sens de l'hu-
mour l'emporte rapidement et, au fond
d'elle-même, silencieusement, elle rit. Elle
imagine cet homme, infiniment timide,
avec sa cravate émouvante, plaqué contre
le mur de leur chambre, la main tendue et
qui, fixement et vicieusement, les regarde

s'ébattre devant lui. Elle imagine que, la scène d'amour terminée, nue et en sueur, elle se lève du lit, prend son sac sur la table, y cherche de la monnaie et la lui met dans la main. C'est à peine si elle réussit à retenir son rire.

28

Jean-Marc regardait Chantal dont le visage, soudainement, s'illumina d'une gaieté secrète. Il n'avait pas envie de lui en demander la raison, content de savourer le plaisir de la regarder. Tandis qu'elle se perdait dans ses images cocasses, il se disait que Chantal est son seul lien sentimental avec le monde. Lui parle-t-on des prisonniers, des persécutés, des affamés ? Il connaît la seule façon de se sentir touché, personnellement, douloureusement, de leur malheur : il imagine Chantal à leur place. Lui parle-t-on des femmes violées pendant une guerre civile ? Il y voit Chantal, violée. C'est elle et personne d'autre qui le libère de son indifférence. Ce n'est que par son intermédiaire qu'il est capable de compatir.

Il aurait voulu le lui dire mais il avait honte du pathétique. D'autant plus qu'une autre idée, tout à fait contraire, le surprit : et s'il perdait cet unique être qui le rattache aux humains ? Il ne pensait pas à sa mort, plutôt à quelque chose de plus subtil, d'insaisissable, dont l'idée, ces derniers temps, le poursuivait : un jour, il ne la reconnaîtrait pas ; un jour, il s'apercevrait que Chantal n'était pas la Chantal avec laquelle il a vécu mais cette femme sur la plage qu'il a tenue pour elle ; un jour, la certitude que Chantal représentait pour lui s'avérerait illusoire et elle lui deviendrait aussi indifférente que tous les autres.

Elle le prit par la main : « Qu'est-ce que tu as ? Tu es de nouveau triste. Depuis quelques jours je constate que tu es triste. Qu'est-ce que tu as ?

— Mais rien, rien du tout.

— Si. Dis-moi, qu'est-ce qui t'attriste en ce moment ?

— J'ai imaginé que tu étais quelqu'un d'autre.

« — Comment?

— Que tu es autre que je ne t'imagine. Que je me suis trompé sur ton identité.

— Je ne comprends pas. »

Il voyait une pile de soutiens-gorge. Triste monticule de soutiens-gorge. Ridicule monticule. Mais au travers de cette vision le visage réel de Chantal assise en face de lui aussitôt retransparaissait. Il sentait le contact de sa main sur la sienne, et l'impression d'avoir devant lui un étranger ou un traître s'effaçait rapidement. Il souriait : « Oublie ça. Je n'ai rien dit. »

29

Plaqué le dos au mur de la chambre où ils faisaient l'amour, la main tendue, les yeux avidement fixés sur leurs corps nus : c'est ainsi qu'elle l'a imaginé au cours du dîner au restaurant. Maintenant, il est plaqué le dos à l'arbre, la main maladroitement tendue vers les piétons. D'abord elle veut faire semblant de ne pas l'apercevoir, puis, sciemment, volontairement, avec une vague idée de trancher une situation embrouillée, elle s'arrête devant lui. Sans lever les yeux il répète sa formule : « Je vous prie de m'aider. »

Elle le regarde : il est anxieusement propre, il porte une cravate, ses cheveux poivre et sel sont peignés en arrière. Est-il beau, est-il laid ? Sa condition le place par-delà le beau et le laid. Elle a envie de lui dire quelque chose mais elle ne sait pas quoi. Son embarras l'empêchant de parler, elle ouvre son sac, cherche de la petite monnaie, mais à part quelques centimes elle ne trouve rien. Il est planté, immobile, la terrible paume tendue vers elle, et son immobilité multiplie encore le poids du silence. Dire, maintenant, excusez-moi, je n'ai rien sur moi, lui paraît impossible, elle veut donc lui donner un billet mais ne trouve qu'une coupure de deux cents francs ; c'est une aumône disproportionnée qui la fait rougir : elle se fait l'effet d'entretenir un amant imaginaire, de le surpayer pour qu'il lui envoie des lettres d'amour. Quand, au lieu d'un petit bout de métal froid, le mendiant sent un papier dans sa main, il lève la tête et elle voit ses yeux, tout étonnés. C'est un regard effarouché, et elle, mal à l'aise, s'éloigne rapidement.

Quand elle lui a mis le billet dans la main, elle pensait encore qu'elle le remettait à son admirateur. Ce n'est qu'en s'éloignant qu'elle devient capable d'un peu plus de lucidité : il n'y avait aucune lueur de complicité dans ses yeux ; aucune allusion muette à une aventure commune ; rien qu'une surprise sincère et totale ; l'étonnement apeuré d'un pauvre. Soudain, tout est clair : tenir cet homme pour l'auteur des lettres est le comble de l'absurde.

Une colère contre elle-même lui monte à la tête. Pourquoi consacre-t-elle tant d'attention à cette foutaise ? Pourquoi, même en imagination, se prête-t-elle à cette aventurette montée par un désœuvré qui s'ennuie ? L'idée du paquet de lettres caché sous ses soutiens-gorge lui apparaît tout à coup insupportable. Elle se représente un observateur qui depuis un lieu secret examine tout ce qu'elle fait, mais sans savoir ce qu'elle pense. Selon ce qu'il verrait il ne pourrait que la tenir pour une femme banalement assoiffée d'hommes, pire, pour une femme romantique et bête qui garde comme un objet sacré chaque document d'amour dont elle rêvasse.

Ne pouvant plus supporter ce regard moqueur de l'observateur invisible, dès son arrivée à la maison elle va vers l'armoire. Elle voit la pile de ses soutiens-gorge et quelque chose lui frappe les yeux. Mais bien sûr, déjà hier elle l'a constaté : son châle n'était pas plié comme elle le plie elle-même. Son état euphorique le lui a fait oublier aussitôt. Mais cette fois-ci elle ne peut laisser passer cette trace d'une main qui n'est pas la sienne. Ah, c'est trop clair ! Il a lu les lettres ! Il la surveille ! Il l'espionne !

Elle est pleine d'une colère qui se porte contre des cibles multiples : contre l'homme inconnu qui, sans demander pardon, l'embête avec des lettres ; contre elle-même qui niaisement les garde cachées ; et contre Jean-Marc qui l'épie. Elle retire le paquet et va (ça fait combien de fois déjà !) aux W.-C. Là, avant de les déchiqueter et de les faire partir avec l'eau, elle les regarde pour la dernière fois et, devenue méfiante, trouve leur écriture suspecte. Elle les examine attentivement : toujours la même encre, les signes sont tous très grands, inclinés légèrement à gauche mais différents d'une lettre à l'autre comme si celui qui les a écrites n'avait pas réussi à garder la même écriture. Cette observation lui semble à tel point étrange que, là encore, elle ne déchire pas les lettres et s'assoit à la table pour les relire. Elle s'arrête sur la deuxième qui la décrit lorsqu'elle est allée à la teinturerie : comment cela s'est-il passé alors ? elle était avec Jean-Marc ; c'est lui qui portait la valise. À l'intérieur, elle s'en souvient bien, c'est aussi Jean-Marc qui a fait rire la patronne. Son correspondant mentionne ce rire. Mais comment aurait-il pu l'entendre ? Il affirme l'avoir regardée depuis la rue. Mais qui aurait pu l'observer sans qu'elle s'en rendît compte ? Aucun du Barreau. Aucun mendiant. Une seule personne : celui qui était avec elle dans la teinturerie. Et la formule « quelque chose d'artificiellement ajouté à votre vie », qu'elle tenait pour une maladroite attaque contre Jean-Marc, était en fait une coquetterie narcissique de Jean-Marc lui-même. Oui, c'est par son narcissisme qu'il s'est trahi, par un narcissisme plaintif qui voulait lui dire : dès qu'un autre homme se trouve sur ton chemin, je ne suis qu'un objet inutile, ajouté à ta vie. Puis, elle se souvient de cette curieuse phrase à la fin de leur dîner au restaurant. Il lui a dit que, peut-être, il s'était trompé sur son identité. Que peut-être elle était quelqu'un d'autre ! « Je vous suis comme un espion », lui a-t-il écrit dans la première lettre. C'est donc lui, cet espion. Il l'examine, il fait des expérimentations avec elle pour se prouver qu'elle n'est pas telle qu'il le croit ! Il lui écrit des lettres sous le nom d'un inconnu et observe ensuite son comportement, il l'épie jusqu'à son armoire, jusqu'à ses soutiens-gorge !

Mais pourquoi fait-il cela ?

Une seule réponse s'impose : il veut la piéger.

Mais pourquoi la piéger ?

Pour se débarrasser d'elle. En fait, il est le plus jeune et elle a vieilli. Elle a beau tenir secrètes ses bouffées de chaleur, elle a vieilli et ça se voit. Il cherche une raison de la quitter. Il ne pourrait pas lui dire : tu as vieilli et je suis jeune. Il est trop correct pour cela, trop gentil. Mais dès qu'il aura la certitude qu'elle le trahit, qu'elle est capable de le trahir, il la quittera avec la même facilité, la même froideur avec lesquelles il a écarté de sa vie son très vieil ami F. Cette froideur, si étrangement joyeuse, l'a toujours effrayée. Maintenant elle comprend que son effroi était prémonitoire.

30

Il avait inscrit la rougeur de Chantal au tout début du livre d'or de leur amour. Ils s'étaient rencontrés pour la première fois au milieu de nombreuses personnes, dans une salle autour d'une longue table garnie de coupes de champagne et d'assiettes de toasts, de terrines, de jambon. C'était un hôtel à la montagne, il était alors moniteur de ski et fut invité, par le caprice d'un hasard et pour une seule soirée, à se joindre aux membres d'un colloque qui se terminait tous les soirs par un petit cocktail. On le lui présenta, en passant, rapidement, sans qu'ils pussent même retenir leurs noms respectifs. Ils ne parvinrent à se dire que quelques mots en présence des autres. Sans être invité, Jean-Marc vint le jour suivant, uniquement pour la revoir. L'apercevant, elle rougit. Elle fut rouge non seulement sur ses joues, mais sur son cou, et encore plus bas, sur tout son décolleté, elle fut magnifiquement rouge aux yeux de tous, rouge à cause de lui et pour lui. Cette rougeur fut sa déclaration d'amour, cette rougeur décida de tout. Une trentaine de minutes après ils réussirent à se retrouver seuls dans la pénombre d'un long couloir; sans prononcer un seul mot, avidement, ils s'embrassèrent.

Le fait qu'ensuite, pendant des années, il ne l'ait plus vue rougir lui avait confirmé le caractère exceptionnel de cette rougeur d'alors qui, dans le lointain de leur passé, brillait comme un rubis d'ineffable prix. Puis, un jour, elle lui a dit que les hommes ne se retournaient plus sur elle. Les mots en eux-mêmes insignifiants sont devenus importants à cause de la rougeur qui les a accompagnés. Il n'a pas pu rester sourd au langage des couleurs qui était celui de leur amour et qui, lié à la phrase qu'elle avait prononcée, lui a semblé parler du chagrin de vieillir. C'est pourquoi, sous le masque d'un étranger, il lui a écrit : « Je vous suis comme un espion, vous êtes belle, très belle. »

Quand il a mis la première lettre dans la boîte, il ne pensait même pas lui en envoyer d'autres. Il n'avait aucun plan, il ne visait aucun avenir, il voulait tout simplement lui faire plaisir, maintenant, tout de suite, la débarrasser de cette impression déprimante que les hommes ne se retournaient plus sur elle. Il n'essayait pas de prévoir ses réactions. Si, malgré tout, il s'était efforcé de les deviner, il aurait supposé qu'elle lui montrerait la lettre en disant, « regarde ! quand même, les hommes ne m'ont pas encore oubliée ! » et avec toute l'innocence d'un amoureux il aurait ajouté à l'éloge de l'inconnu ses propres louanges. Mais elle ne lui a rien montré. Sans point final, l'épisode est resté ouvert. Les jours suivants, il l'a surprise désespérée, en proie à la pensée de la mort, si bien que, bon gré mal gré, il a continué.

En écrivant la deuxième lettre, il se disait : je deviens Cyrano ; Cyrano : l'homme qui sous le masque d'un autre déclare son amour à la femme aimée ; qui, allégé de son nom, voit exploser son éloquence subitement libérée. Ainsi, en bas de la lettre, a-t-il ajouté la signature : C.D.B. C'était un code pour lui seul. Comme s'il voulait laisser une marque secrète de son passage. C.D.B. : Cyrano de Bergerac.

Cyrano, il continuait de l'être. L'ayant soupçonnée d'avoir cessé de croire à ses charmes, il évoquait pour elle son corps. Il essayait d'en désigner chaque partie, visage, nez, yeux, cou, jambes, pour qu'elle en redevînt fière. Il était heureux de constater qu'elle s'habillait avec plus de plaisir, qu'elle était plus gaie, mais son succès en même temps le dépitait : auparavant, elle n'aimait pas porter les perles rouges autour du cou, même quand il le lui demandait ; et c'est à un autre qu'elle a obéi.

Cyrano ne peut vivre sans jalousie. Le jour où il est entré inopinément dans la chambre où Chantal se penchait sur une étagère de l'armoire, il a bien remarqué son embarras. Il lui a parlé de la paupière qui lave l'œil en faisant semblant de n'avoir rien vu ; ce n'est que le jour suivant, alors qu'il était seul à la maison, qu'il a ouvert l'armoire et trouvé ses deux lettres sous la pile de soutiens-gorge.

Alors, pensif, il s'est demandé encore une fois pourquoi elle ne les lui avait pas montrées ; la réponse lui a paru simple. Si un homme écrit des lettres à une femme, c'est afin de préparer le terrain sur lequel, plus tard, il l'abordera pour la séduire. Et si la femme tient ces lettres secrètes, c'est qu'elle veut que sa discrétion d'aujourd'hui protège l'aventure de demain. Et si en outre elle les garde, c'est qu'elle est prête à comprendre cette future aventure comme un amour.

Il est resté longtemps devant l'armoire ouverte et, ensuite, chaque fois qu'il déposait une nouvelle lettre dans la boîte, il allait vérifier s'il la retrouvait à sa place, sous les soutiens-gorge.

31

Si Chantal apprenait que Jean-Marc lui a été infidèle, elle en souffrirait mais cela répondrait à ce qu'elle pouvait, à la rigueur, attendre de lui. Mais cet espionnage, cette expérimentation flicarde qu'il lui fit subir, cela ne correspondait à rien de ce qu'elle savait sur lui. Quand ils se sont connus, il ne voulait rien savoir, rien entendre de sa vie passée. Rapidement elle tomba d'accord avec le radicalisme de ce refus. Elle n'avait jamais aucun secret pour lui et ne lui taisait que ce que lui-même ne voulait pas entendre. Elle ne voit aucune raison pour laquelle, tout à coup, il s'est mis à la soupçonner, à la surveiller.

Soudain, elle se souvient de la phrase sur l'habit carmin de cardinal qui lui a fait tourner la tête, et elle a honte : comme elle a été réceptive aux images que quelqu'un lui semait dans la tête ! comme elle a dû lui paraître ridicule ! Il l'a mise dans une cage comme un lapin. Méchant et amusé, il observe ses réactions.

Et si elle se trompait ? Ne s'est-elle pas trompée deux fois déjà en croyant avoir démasqué son correspondant ?

Elle va chercher quelques lettres que Jean-Marc lui a écrites autrefois et les compare avec celles de C.D.B. Jean-Marc a une écriture légèrement penchée à droite, avec des signes plutôt petits, tandis que dans toutes les lettres de l'inconnu l'écriture est volumineuse et penche à gauche. Mais c'est précisément cette dissemblance trop voyante qui trahit la supercherie. Qui veut dissimuler sa propre écriture pensera d'abord à en changer l'inclinaison et la dimension. Chantal essaie de comparer les « f », les « a », les « o » tels qu'ils sont chez Jean-Marc et chez l'inconnu. Elle constate que malgré leur grosseur différente, leur dessin paraît plutôt ressemblant. Mais quand elle continue à les comparer, encore et encore, elle perd sa certitude. Oh non, elle n'est pas graphologue et ne peut être sûre de rien.

Elle choisit une lettre de Jean-Marc et une autre signée C.D.B.; elle les met dans son sac. Que faire des autres? Leur trouver une meilleure cachette? À quoi bon. Jean-Marc les connaît et il connaît même l'endroit où elle les met. Il ne faut pas qu'elle lui fasse comprendre qu'elle se sent surveillée. Elle les dépose donc dans l'armoire exactement là où elles ont toujours été.

Puis elle sonna à la porte d'un cabinet de graphologie. Un jeune homme en costume foncé l'accueillit et la conduisit par un couloir dans un bureau où, derrière une table, un autre homme était assis, costaud, en manches de chemise. Tandis que le jeune homme restait appuyé contre le mur au fond de la pièce, le costaud se leva et lui tendit la main.

L'homme se rassit et elle prit place dans un fauteuil en face de lui. Elle posa la lettre de Jean-Marc et celle de C.D.B. sur la table ; alors qu'elle expliquait, embarrassée, ce qu'elle désirait apprendre, l'homme lui dit, d'un ton très distant : « Je peux vous faire une analyse psychologique de l'homme dont vous connaissez l'identité. Mais il est difficile de faire l'analyse psychologique d'une écriture falsifiée.

— Je n'ai pas besoin d'une analyse psychologique. La psychologie de l'homme qui a écrit ces lettres, s'il les a écrites comme je le suppose, je la connais suffisamment.

— Ce que vous voulez, si j'ai bien compris, c'est avoir la certitude que celui qui a écrit cette lettre — votre amant ou votre mari — est le même que celui qui a changé ici son écriture. Vous voulez le confondre.

— Ce n'est pas tout à fait exact, dit-elle, gênée.

— Pas tout à fait, mais presque. Seulement, madame, je suis un graphologue-psychologue, je ne suis pas un détective privé et je ne collabore pas avec la police non plus. »

Le silence tomba dans la petite pièce et aucun des deux hommes ne voulait le rompre parce que aucun d'eux n'éprouvait de compassion pour elle.

À l'intérieur de son corps elle sentit une vague de chaleur se lever, une vague puissante, sauvage, expansive, elle fut rouge, rouge sur tout son corps ; une nouvelle fois les mots sur le manteau carmin de cardinal lui traversèrent l'esprit car, en effet, son corps était maintenant drapé d'un somptueux manteau cousu de flammes.

« Vous vous êtes trompée d'adresse, dit-il encore. Vous n'êtes pas ici dans un cabinet de délation. »

Elle entendit le mot « délation » et son manteau de flammes devint un manteau de honte. Elle se leva pour récupérer ses lettres. Mais avant qu'elle ne réussît à les prendre, le jeune homme qui l'avait accueillie à la porte passa de l'autre côté de la table ; debout près du costaud, il regarda attentivement les deux écritures et « Bien sûr que c'est la même personne », dit-il ; puis, s'adressant à elle : « Regardez ce "t", regardez ce "g" ! »

Soudain, elle le reconnaît : ce jeune homme, c'est le garçon de café de la ville normande où elle attendait Jean-Marc. Et comme elle le reconnaît, elle entend, à l'intérieur de son corps en feu, sa propre voix s'étonnant : mais tout cela, ce n'est pas vrai! je délire, je délire, cela ne peut pas être vrai!

Le jeune homme leva la tête, la regarda (comme s'il voulait lui montrer son visage pour se faire bien reconnaître) et lui dit, avec un sourire aussi doux que méprisant : « Bien sûr! C'est la même écriture. Il l'a seulement agrandie et inclinée à gauche. »

Elle ne veut plus rien entendre, le mot « délation » a chassé tous les autres mots. Elle se sent comme une femme qui dénonce son bien-aimé à la police en apportant comme preuve un cheveu trouvé sur le drap d'infidélité. Enfin, après avoir récupéré ses lettres, sans mot dire, elle fait volte-face pour s'en aller. Une fois encore, le jeune homme a changé de place : il est près de la porte et la lui ouvre. Elle est à six pas de lui, et cette petite distance lui paraît infinie. Elle est rouge, elle brûle, elle est en nage. L'homme devant elle est arrogamment jeune et, arrogamment, il regarde son pauvre corps. Son pauvre corps ! Sous le regard du jeune homme elle sent qu'il vieillit à vue d'œil, en accéléré, et au grand jour.

Il lui semble que se répète la situation qu'elle a vécue au café au bord de la mer normande ; lorsque, avec son sourire obséquieux, il lui a barré la route vers la porte et qu'elle a eu peur de ne plus pouvoir sortir. Elle attend qu'il lui joue le même tour mais, poliment, il reste debout à côté de la porte du bureau et la laisse passer ; puis, d'un pas incertain de vieille femme, elle prend le couloir vers la porte d'entrée (elle sent son regard peser sur son dos mouillé) et quand elle se trouve enfin sur le palier elle a la sensation d'avoir échappé à un grand péril.

32

Le jour où ils ont marché ensemble dans la rue, sans rien se dire, ne voyant autour d'eux que des passants inconnus, pourquoi a-t-elle rougi soudain? C'était inexplicable : déconcerté, il n'a pu alors dominer sa réaction : « Tu as rougi! pourquoi as-tu rougi? » Elle ne lui a pas répondu et il a été troublé de voir que quelque chose se passait en elle dont il ne savait rien.

Comme si cet épisode rallumait la couleur royale du livre d'or de son amour, il lui a écrit la lettre sur le manteau carmin de cardinal. Dans son rôle de Cyrano, il est parvenu alors à son plus grand exploit : il l'a envoûtée. Il était fier de sa lettre, de sa séduction, mais il ressentait une jalousie plus forte que jamais. Il créait un fantôme d'homme et, sans le vouloir, il faisait ainsi subir à Chantal un test qui mesurait sa sensibilité à la séduction d'un autre.

Sa jalousie ne ressemblait pas à celle qu'il avait connue dans sa jeunesse quand l'imagination attisait une torturante fantaisie érotique; cette fois, elle était moins douloureuse mais plus destructrice : tout doucement, elle transformait une femme aimée en simulacre de femme aimée. Et comme elle n'était plus un être sûr pour lui, il n'y avait plus aucun point stable dans le chaos sans valeurs qu'est le monde. Face à la Chantal transsubstantiée (ou dé-substantiée), une étrange indifférence mélancolique s'emparait de lui. Non pas l'indifférence à l'égard d'elle mais l'indifférence à l'égard de tout. Si Chantal est un simulacre, toute la vie de Jean-Marc en est un.

À la fin, son amour a eu raison de sa jalousie et de ses doutes. Il se penchait devant l'armoire ouverte, les yeux fixés sur les soutiens-gorge, et, brusquement, sans comprendre comment cela est arrivé, il se sentit ému. Ému face à ce geste immémorial des femmes qui cachent une lettre sous leur linge, face à ce geste par lequel sa Chantal, unique et inimitable, se range dans le cortège infini de ses congénères. Jamais il n'a rien voulu savoir de la part de sa vie intime qu'il n'a pas partagée avec elle. Pourquoi devrait-il s'y intéresser maintenant, voire s'en indigner?

D'ailleurs, se demanda-t-il, qu'est-ce qu'un secret intime? Est-ce là que réside le plus individuel, le plus original, le plus mystérieux d'un être humain? Est-ce que ses secrets intimes font de Chantal cet être unique qu'il aime? Non. Est secret ce qui est le plus commun, le plus banal, le plus répétitif et propre à tous : le corps et ses besoins, ses maladies, ses manies, la constipation, par exemple, ou les règles. Si nous cachons pudiquement ces intimités, ce n'est pas parce qu'elles sont tellement personnelles mais, au contraire, parce qu'elles sont si lamentablement impersonnelles. Comment peut-il en vouloir à Chantal d'appartenir à son sexe, de ressembler à d'autres femmes, de porter un soutien-gorge et avec lui la psychologie du soutien-gorge? Comme s'il n'appartenait pas lui-même à quelque imbécillité éternellement masculine! Ils tirent tous les deux leur origine de cet atelier de bricolage où on a gâché leurs yeux avec le mouvement désarticulé d'une paupière et installé une petite usine puante dans leur ventre. Ils ont tous les deux un corps où la pauvre âme a si peu de place. Ne devraient-ils pas se le pardonner? Ne devraient-ils pas passer outre leurs petites pauvretés qu'ils cachent au fond des tiroirs ? Il fut saisi d'une immense compassion et, pour tracer un trait final sur cette histoire, il décida de lui écrire une dernière lettre.

33

Penché sur une feuille de papier, il songe de nouveau à ce que le Cyrano qu'il était (qu'il est encore, pour la dernière fois) appelait l'arbre des possibilités. L'arbre des possibilités : la vie telle qu'elle se montre à l'homme qui, étonné, est arrivé au seuil de sa vie adulte : une ramure abondante pleine d'abeilles qui chantent. Et il pense comprendre pourquoi elle ne lui a jamais montré les lettres : elle voulait entendre le murmure de l'arbre, seule, sans lui, car lui, Jean-Marc, représentait l'abolition de toutes les possibilités, il était la réduction (même si c'était une réduction heureuse) de sa vie à une seule possibilité. Elle ne pouvait pas lui parler de ces lettres parce que, par cette sincérité, elle aurait donné tout de suite à savoir (à elle-même et à lui) qu'elle ne s'intéressait pas vraiment aux possibilités que les lettres lui promettaient, qu'elle renonçait d'avance à cet arbre perdu qu'il lui faisait voir. Comment pourrait-il lui en vouloir? C'est lui, tout compte fait, qui a voulu lui faire entendre la musique d'une ramure murmurante. Elle s'est donc comportée selon les vœux de Jean-Marc. Elle lui a obéi.

Penché sur sa feuille, il se dit : il faut que l'écho de ce murmure demeure en Chantal même si l'aventure des lettres s'achève. Et il lui écrit qu'une nécessité inopinée l'oblige à partir. Puis il nuance son affirmation : « Est-ce vraiment un départ inopiné, ou, plutôt, n'ai-je pas écrit mes lettres précisément parce que je savais qu'elles resteraient sans suite? N'est-ce pas la certitude de mon départ qui m'a permis de vous parler avec une franchise totale? »

Partir. Oui, c'est le seul dénouement possible, mais où aller? Il réfléchit. Ne pas mentionner le lieu de destination? Ce serait un peu trop romantiquement mystérieux. Ou impoliment évasif. Son existence, il est vrai, doit rester dans l'ombre, c'est pourquoi il ne peut donner les raisons de son départ car celles-ci indiqueraient l'identité imaginaire du correspondant, sa profession, par exemple. Pourtant, il serait plus naturel de dire où il va. Une ville en France? Non. Cela ne serait pas une raison suffisante pour interrompre une correspondance. Il faut partir loin. New York? Le Mexique? Le Japon? Cela serait un peu suspect. Il faut inventer une ville étrangère et pourtant proche, banale. Londres! Mais oui; cela lui apparaît si logique, si naturel, qu'il se dit en souriant : en effet, je ne peux partir que pour Londres. Et aussitôt il se demande : pourquoi justement Londres m'apparaît-il si naturel? Surgit alors le souvenir de l'homme de Londres sur lequel Chantal et lui ont souvent plaisanté, l'homme à femmes qui, jadis, avait remis à Chantal sa carte de visite. L'Anglais, le Britannique, que Jean-Marc a surnommé Britannicus. Ce n'est pas mal : Londres, la ville des rêves lubriques. C'est là que l'adorateur inconnu ira se fondre dans la foule des partouzards, des coureurs, des dragueurs, des érotomanes, des pervers, des vicieux; c'est là qu'il disparaîtra à jamais.

Et il pense encore : le mot Londres, il le laissera dans sa lettre en guise de signature, comme une trace à peine perceptible de ses conversations avec Chantal. En silence, il se moque de lui-même : il veut rester inconnu, non-identifiable, car le jeu l'exige. Et pourtant, un désir contraire, désir tout à fait injustifié, injustifiable, irrationnel, secret, stupide certainement, l'incite à ne pas passer complètement inaperçu, à laisser une marque, à cacher quelque part une signature chiffrée d'après laquelle un observateur inconnu et exceptionnellement lucide pourrait l'identifier.

En descendant l'escalier pour mettre la lettre dans la boîte, il entendit des cris de voix aiguës. Arrivé en bas, il les vit : une femme avec trois enfants devant les sonnettes. En se dirigeant vers les boîtes rangées sur le mur d'en face, il passa à côté d'eux. Quand il se retourna, il s'aperçut que la femme appuyait sur la sonnette où sont inscrits son nom et celui de Chantal.

« Vous cherchez quelqu'un ? » demanda-t-il.

La femme lui dit un nom.

« C'est moi ! »

Elle fit un pas en arrière et le regarda avec une admiration ostentatoire : « C'est vous ! Oh, que je suis heureuse de vous connaître ! Je suis la belle-sœur de Chantal ! »

34

Déconcerté, il ne pouvait que les inviter à monter.

« Je ne veux pas vous importuner, dit la belle-sœur quand ils entrèrent tous dans l'appartement.

— Vous ne m'importunez pas. D'ailleurs, Chantal ne va pas tarder. »

La belle-sœur se mit à parler ; de temps en temps elle jetait un coup d'œil sur les enfants qui étaient tout calmes, timides, et presque ébahis.

« Je suis heureuse que Chantal les voie », dit-elle en caressant la tête de l'un d'eux.

« Elle ne les connaît même pas, ils sont nés après son départ. Elle aimait les enfants. Notre villa en débordait. Son mari était plutôt détestable, je ne devrais pas parler ainsi de mon frère, mais il s'est remarié et il ne nous voit plus. » En riant : « En fait, j'ai toujours préféré Chantal à son mari ! »

Elle fit à nouveau un pas en arrière et dévisagea Jean-Marc d'un regard aussi admiratif que provocant : « Enfin, elle a su choisir un homme ! Je suis venue vous dire que vous êtes le bienvenu chez nous. Je vous serai reconnaissante de venir et de nous rendre ainsi notre Chantal. La maison vous est ouverte quand vous voulez. Toujours.

— Merci.

— Vous êtes grand, oh que j'aime cela. Mon frère est plus petit que Chantal. J'ai toujours eu l'impression qu'elle était sa maman. Elle l'appelait "ma petite souris", vous vous rendez compte, elle lui a donné un sobriquet féminin ! J'imaginais toujours, dit-elle en éclatant de rire, qu'elle le tenait dans ses bras et le berçait en lui chuchotant "ma petite souris, ma petite souris !" »

Elle fit quelques pas en dansant, les bras tendus comme si elle portait un bébé, et répéta : « Ma petite souris, ma petite souris ! » Elle continua un petit moment sa danse en exigeant en réponse le rire de Jean-Marc. Pour la satisfaire, il contrefit un sourire et imagina Chantal face à un homme qu'elle appelait « ma souris ». La belle-sœur continuait à parler, et il ne pouvait se débarrasser de cette image qui l'horripilait : l'image de Chantal qui appelle un homme (plus petit qu'elle) « ma petite souris ».

Du bruit parvint de la pièce voisine. Jean-Marc se rendit compte que les enfants n'étaient plus avec eux ; voilà la stratégie rusée des envahisseurs : sous le manteau de leur insignifiance ils ont réussi à se glisser dans la chambre de Chantal ; d'abord silencieux comme une armée secrète, puis, ayant fermé discrètement la porte derrière eux, avec un furioso de conquérants.

Jean-Marc en était inquiet mais la belle-sœur le rassura : « Ce n'est rien. Ce sont des enfants. Ils jouent.

— Mais oui, dit Jean-Marc, je vois qu'ils jouent », et il se dirigea vers la chambre tapageuse. La belle-sœur fut plus rapide. Elle ouvrit la porte : ils avaient transformé une chaise tournante en manège ; un enfant s'était allongé à plat ventre sur le siège, il tournait en rond et les deux autres l'observaient en criant.

« Ils jouent, je vous l'ai dit », répéta la belle-sœur en refermant la porte. Puis, avec un clin d'œil de connivence : « Ce sont des enfants. Que voulez-vous ? C'est dommage que Chantal ne soit pas là. Je voudrais tellement qu'elle les voie. »

Le bruit de la pièce voisine s'est fait vacarme et Jean-Marc n'a plus aucune envie de calmer les enfants. Il voit devant lui une Chantal qui, au milieu de la cohue familiale, berce dans ses bras un petit homme qu'elle appelle « ma souris ». À cette image s'en joint une autre : Chantal qui garde jalousement les lettres d'un adorateur inconnu pour ne pas étouffer dans l'œuf une promesse d'aventures. Cette Chantal-là ne se ressemble pas ; cette Chantal-là n'est pas celle qu'il aime ; cette

Chantal-là est un simulacre. Un étrange désir destructeur le remplit et il se réjouit du chahut que font les enfants. Il désire qu'ils démolissent la pièce, qu'ils démolissent tout ce petit monde qu'il aimait et qui est devenu un simulacre.

« Mon frère, continuait entre-temps la belle-sœur, était pour elle trop chétif, vous me comprenez, chétif... », elle rit, « ... dans tous les sens du terme. Vous comprenez, vous comprenez ! » Elle rit encore. « D'ailleurs, est-ce que je peux vous donner un conseil ?

— Si vous voulez.

— Un conseil très intime ! »

Elle approcha sa bouche et lui raconta quelque chose mais, touchant l'oreille de Jean-Marc, ses lèvres firent du bruit et rendirent les paroles inaudibles.

Elle s'éloigna et rit : « Qu'en dites-vous ? »

Il n'avait rien compris mais il rit aussi.

« Ah, cela vous a bien amusé ! » dit la belle-sœur en ajoutant : « Je pourrais vous raconter des tas de choses comme ça. Oh, vous savez, nous n'avions pas de secrets

l'une pour l'autre. Si vous avez des pro-
blèmes avec elle, dites-le-moi, je peux
vous donner de bons conseils ! » Elle rit :
« Je sais comment il faut la dompter ! »

Et Jean-Marc pense : Chantal a toujours
parlé de la famille de sa belle-sœur avec
hostilité. Comment est-il possible que la
belle-sœur manifeste pour elle une sympathie si franche ? Qu'est-ce que cela veut
donc dire exactement que Chantal les a
détestés ? Comment peut-on détester et en
même temps s'adapter si facilement à ce
qu'on déteste ?

Dans la pièce d'à côté les enfants sévis-
saient et la belle-sœur, avec un geste dans
leur direction, sourit : « Cela ne vous dé-
range pas, je vois ! Vous êtes comme moi.
Vous savez, je ne suis pas une femme bien
ordonnée, j'aime que ça bouge, j'aime que
ça tourne, j'aime que ça chante, bref,
j'aime la vie ! »

Sur fond de cris d'enfants, ses pensées
continuent : la facilité avec laquelle elle
sait s'adapter à ce qu'elle déteste est-elle
vraiment si admirable ? Avoir deux visages,
est-ce vraiment un triomphe ? Il s'était

réjoui à l'idée qu'elle est, parmi les gens de la publicité, comme un intrus, un espion, un ennemi masqué, un terroriste potentiel. Mais elle n'est pas un terroriste, elle est plutôt, s'il doit recourir à cette terminologie politique, un collabo. Un collabo qui sert un pouvoir détestable sans s'identifier à lui, qui travaille pour lui tout en étant séparé de lui et qui, un jour, devant ses juges, alléguera pour sa défense qu'il avait deux visages.

35

Chantal s'arrêta sur le seuil et, étonnée, y resta presque une minute parce que ni Jean-Marc ni la belle-sœur ne la remarquaient. Elle entendait la voix claironnante que depuis si longtemps elle n'avait pas entendue : « Vous êtes comme moi. Vous savez, je ne suis pas une femme bien ordonnée, j'aime que ça bouge, j'aime que ça tourne, j'aime que ça chante, bref, j'aime la vie ! »

Enfin le regard de la belle-sœur se posa sur elle : « Chantal, s'écria-t-elle, quelle surprise, n'est-ce pas ? » et elle se précipita pour l'embrasser. Chantal sentit à la commissure de ses lèvres l'humidité de la bouche de sa belle-sœur.

L'embarras causé par l'apparition de Chantal fut bientôt interrompu par l'irruption d'une gamine. « C'est notre petite Corinne », annonça la belle-sœur à Chantal ; puis, à l'enfant : « Dis bonjour à ta tante », mais l'enfant ne porta aucune attention à Chantal et annonça qu'elle voulait faire pipi. La belle-sœur, sans hésiter, comme si elle connaissait déjà bien l'appartement, se dirigea avec Corinne vers le couloir et disparut dans les W.-C.

« Dieu », murmura Chantal, profitant de l'absence de la belle-sœur : « Comment nous ont-ils dénichés ? »

Jean-Marc haussa les épaules. Comme la belle-sœur avait laissé grandes ouvertes et la porte du couloir et la porte des W.-C., ils ne pouvaient se dire grand-chose. Ils entendaient l'urine qui tombait dans l'eau de la cuvette, mêlée à la voix de la belle-sœur qui leur donnait des informations sur sa famille, et qui apostrophait de temps en temps la pisseuse.

Chantal se souvient : un jour, en vacances dans la villa, elle s'était enfermée aux W.-C. ; soudain, quelqu'un tira sur la poignée. Détestant tenir une conversation à travers la porte des W.-C. elle ne répondait pas. À l'autre bout de la maison quelqu'un cria pour calmer l'impatient : « C'est Chantal qui est là ! » Malgré l'information, l'impatient secoua encore plusieurs fois la poignée comme s'il voulait protester contre le mutisme de Chantal.

Le bruit de l'urine a été relayé par la chasse d'eau et Chantal pense toujours à la grande villa en béton où tous les sons se répandaient sans qu'on pût déterminer de quelle direction ils venaient. Elle était habituée à entendre les soupirs coïtaux de sa belle-sœur (leur sonorité inutile se voulait certainement une provocation, pas tant sexuelle que morale : un refus démonstratif de tous les secrets) ; un jour, les soupirs d'amour arrivèrent de nouveau jusqu'à elle et ce ne fut qu'au bout d'un certain temps qu'elle comprit qu'une grand-mère asthmatique, à l'autre bout de cette maison sonore, respirait en gémissant.

La belle-sœur revint dans le salon.
« Vas-y », dit-elle à Corinne qui courut
dans la pièce d'à côté rejoindre les autres
enfants. Puis elle s'adressa à Jean-Marc :
« Je ne reproche pas à Chantal d'avoir
quitté mon frère. Peut-être aurait-elle dû
le quitter plus tôt. Mais je lui reproche de
nous avoir oubliés. » Et, se tournant vers
Chantal : « Quand même, Chantal, nous
représentons une grande partie de ta vie !
Tu ne peux pas nous nier, nous gommer,
tu ne peux pas changer ton passé ! Ton
passé est ce qu'il est. Tu ne peux pas
contester que tu as été heureuse avec
nous. Je suis venue dire à ton nouveau
compagnon que vous êtes tous les deux les
bienvenus chez moi ! »

Chantal l'entendait parler et se disait
qu'elle avait vécu trop longtemps avec
cette famille sans manifester son altérité,
si bien que sa belle-sœur, à juste titre
(presque), aurait dû être vexée qu'après
son divorce elle eût rompu tous liens avec
eux. Pourquoi avait-elle été si gentille et
consentante pendant ses années de mariage ? Elle ne savait elle-même quel nom

donner à son attitude d'alors. Docilité ? Hypocrisie ? Indifférence ? Discipline ?

Quand son fils était en vie, elle était tout à fait prête à accepter cette vie en collectivité, sous une surveillance constante, avec la malpropreté collective, avec le nudisme quasi obligatoire autour de la piscine, avec la promiscuité innocente qui lui permettait de savoir, par les traces subtiles et pourtant confondantes, qui était passé aux W.-C. avant elle. Aimait-elle cela ? Non, elle était pleine de dégoût, mais c'était un dégoût doux, silencieux, non combatif, résigné, presque paisible, un peu moqueur, jamais révolté. Si son enfant n'était pas mort, elle aurait vécu ainsi jusqu'à la fin de ses jours.

Dans la chambre de Chantal, le tapage s'amplifia. La belle-sœur cria : « Silence ! » mais sa voix, plus gaie que fâchée, ne semblait pas vouloir calmer les hurlements mais plutôt se joindre à la liesse.

Chantal perd patience et pénètre dans sa chambre. Les enfants escaladent les fauteuils mais Chantal ne les voit pas ; médusée, elle regarde l'armoire ; sa porte est grande ouverte; et devant, sur le sol, ses soutiens-gorge, ses slips sont répandus, et parmi eux les lettres. Ce n'est qu'ensuite qu'elle s'aperçoit que la plus âgée des enfants a enroulé un soutien-gorge autour de sa tête de telle façon que la poche destinée au sein s'érige sur ses cheveux comme le casque d'un cosaque.

« Regardez-la! » La belle-sœur rit en tenant amicalement Jean-Marc par l'épaule. « Regardez, regardez! c'est un bal masqué! »

Chantal voit les lettres jetées à terre. La colère lui monte à la tête. Il y a à peine une heure qu'elle a quitté le cabinet du graphologue où on l'a traitée avec mépris et elle, trahie par son corps enflammé, n'a pas pu leur tenir tête. Maintenant, elle en a assez de se sentir coupable : ces lettres ne représentent plus pour elle un ridicule secret dont elle devrait avoir honte; elles symbolisent désormais la fausseté de Jean-Marc, sa perfidie, sa trahison.

La belle-sœur se rendit compte de la réaction glaciale de Chantal. Sans cesser de parler et de rire, elle se pencha vers l'enfant, délia le soutien-gorge et s'accroupit pour ramasser le linge.

« Non, non, je t'en prie, laisse, lui dit Chantal, d'un ton ferme.

— Comme tu veux, comme tu veux, je voulais bien faire.

— Je sais », dit Chantal en regardant sa belle-sœur qui retourna s'appuyer à l'épaule de Jean-Marc ; Chantal a l'impression qu'ils vont bien ensemble, qu'ils forment un couple parfait, un couple de surveillants, un couple d'espions. Non, elle n'a aucune envie de fermer la porte de l'armoire. Elle la laisse ouverte comme preuve du pillage. Elle se dit : cet appartement est à moi, et j'ai un immense désir d'y être seule ; d'y être superbement, souverainement seule. Et elle le dit à haute voix : « Cet appartement est à moi et nul n'a le droit d'ouvrir mes armoires et de farfouiller dans mes affaires intimes. Personne. Je dis : personne. »

Ce dernier mot était destiné beaucoup plus à Jean-Marc qu'à sa belle-sœur. Mais pour ne rien trahir devant l'intruse, elle s'adressa aussitôt exclusivement à elle : « Je te prie de partir.

— Personne n'a farfouillé dans tes affaires intimes », dit la belle-sœur sur la défensive.

Pour toute réponse, Chantal fit un mouvement de la tête vers l'armoire ouverte, avec le linge et les lettres répandus sur le sol.

« Mon Dieu, les enfants ont joué ! » dit la belle-sœur, et les enfants, comme s'ils sentaient la colère frissonner dans l'air, avec leur grand sens diplomatique, se taisaient.

« Je t'en prie », répéta Chantal, et elle lui montra la porte.

Un des enfants tenait dans sa main une pomme qu'il avait prise dans une coupe sur la table.

« Remets la pomme où elle était, lui dit Chantal.

— Je rêve ! cria la belle-sœur.

— Remets la pomme. Qui te l'a donnée ?

— Elle refuse une pomme à un enfant, on croit rêver ! »

L'enfant remit la pomme dans la coupe, la belle-sœur le prit par la main, les deux autres se joignirent à eux et ils s'en allèrent.

36

Elle se retrouve seule avec Jean-Marc et ne voit aucune différence entre lui et ceux qui viennent de partir.

« J'avais presque oublié, dit-elle, que j'ai acheté autrefois cet appartement pour être enfin libre, pour ne pas être espionnée, pour pouvoir mettre mes affaires où je veux et pour être sûre qu'elles resteront là où je les ai mises.

— Je t'ai dit plusieurs fois que ma place est à côté de ce mendiant et non pas à côté de toi. Je suis en marge de ce monde. Toi, tu t'es placée au centre.

— Tu t'es installé dans une marginalité bien luxueuse et qui ne te coûte rien.

— Je suis toujours prêt à quitter ma marginalité luxueuse. Mais toi, tu ne renonceras jamais à cette citadelle de conformisme où tu t'es établie avec tes multiples visages. »

37

Une minute plus tôt, Jean-Marc voulait expliquer les choses, avouer sa mystification, mais cet échange de quatre répliques a rendu tout dialogue impossible. Il n'a plus rien à dire car il est vrai que cet appartement est à elle et non pas à lui ; elle lui a dit qu'il s'était installé dans une marginalité bien luxueuse qui ne lui coûte rien et c'est vrai : il gagne le cinquième de ce qu'elle gagne elle, et toute leur relation a été basée sur l'accord tacite que, de cette inégalité, ils ne parleraient jamais.

Ils étaient tous les deux debout, face à face, avec une table entre eux. Elle retira une enveloppe de son sac, la déchira et déplia la lettre : c'était celle qu'il venait de lui écrire, il y avait à peine une heure. Elle ne se cacha pas du tout et même elle s'exhiba. Sans broncher, elle lut devant lui la lettre qu'elle aurait dû tenir secrète. Puis elle la remit dans son sac, posa sur Jean-Marc un regard court et presque indifférent, et sans rien dire s'en alla dans sa chambre.

Il repense à ce qu'elle a dit : « Nul n'a le droit d'ouvrir mes armoires et de farfouiller dans mes affaires intimes. » Elle a donc compris, Dieu sait comment, qu'il connaît ces lettres et leur cachette. Elle veut lui montrer qu'elle le sait et que cela lui est égal. Qu'elle est décidée à vivre comme elle l'entend et sans se soucier de lui. Que, dorénavant, elle est prête à lire ses lettres d'amour devant lui. Par cette indifférence elle anticipe sur l'absence de Jean-Marc. Pour elle, il n'est plus là. Elle l'a déjà délogé.

Longtemps elle resta dans sa chambre. Il entendait la voix furieuse de l'aspirateur qui mettait de l'ordre dans la pagaille que les intrus y avaient laissée. Puis elle alla dans la cuisine. Dix minutes plus tard, elle l'appela. Ils s'assirent à table pour prendre un petit repas froid. Pour la première fois de leur vie commune, ils ne prononcèrent aucun mot. Oh, à quelle vitesse ils mastiquaient une nourriture dont ils ne percevaient pas le goût ! De nouveau, elle se retira dans sa chambre. Ne sachant que faire (incapable de rien faire), il enfila son pyjama et se coucha dans leur large lit où, habituellement, ils étaient ensemble. Mais ce soir elle ne sortait pas de chez elle. Le temps passait et il était incapable de dormir. Finalement, il se leva et colla l'oreille à la porte. Il entendit une respiration régulière. Ce sommeil tranquille, cette facilité avec laquelle elle s'était endormie, le torturaient. Il resta ainsi longtemps, l'oreille à la porte, et il se dit qu'elle était beaucoup moins vulnérable qu'il n'avait pensé. Et que, peut-être, il s'était trompé quand il l'avait prise pour la plus faible et lui pour le plus fort.

En effet, qui est le plus fort? Quand ils se trouvaient tous les deux sur la terre de l'amour, peut-être était-ce vraiment lui. Mais, la terre de l'amour une fois disparue sous leurs pieds, c'est elle qui est forte et lui qui est faible.

38

Sur son lit étroit, elle ne dormait pas aussi bien qu'il le pensait; c'était un sommeil cent fois interrompu et plein de rêves désagréables et décousus, absurdes, insignifiants et péniblement érotiques. Chaque fois qu'elle se réveille après cette sorte de rêves, elle éprouve de la gêne. Voilà, pense-t-elle, un des secrets de la vie de femme, de chaque femme, cette promiscuité nocturne qui rend suspectes toutes les promesses de fidélité, toute pureté, toute innocence. Dans notre siècle on ne s'en formalise pas, mais Chantal se plaît à imaginer la princesse de Clèves, ou la chaste Virginie de Bernardin de Saint-Pierre, ou sainte Thérèse d'Avila, ou Mère Teresa qui, de nos jours, en sueur, court de par le monde pour ses bonnes œuvres, elle se plaît à les imaginer sortant de leurs nuits comme d'un cloaque de vices inavouables, improbables, imbéciles, pour redevenir, le jour, virginales et vertueuses. Telle a été sa nuit : elle s'est réveillée plusieurs fois, toujours après de bizarres orgies avec des hommes qu'elle ne connaissait pas et qui lui répugnaient.

Très tôt le matin, ne voulant plus retomber dans ces plaisirs malpropres, elle s'habilla et, dans une petite valise, rangea quelques accessoires nécessaires pour un court voyage. Tout juste prête, elle vit Jean-Marc en pyjama à la porte de sa chambre.

« Où vas-tu ? lui dit-il.

— À Londres.

— Quoi ? À Londres ? Pourquoi à Londres ? »

Elle dit très posément : « Tu sais bien pourquoi à Londres. »

Jean-Marc rougit.

Elle répéta : « Tu le sais bien, n'est-ce pas ? » et elle regarda son visage. Quel triomphe pour elle de voir que cette fois c'était lui qui était tout rouge !

Les joues en feu, il dit : « Non, je ne sais pas pourquoi à Londres. »

Elle ne se lassait pas de le voir rougir.

« Nous avons un colloque à Londres, dit-elle. C'est hier soir que je l'ai appris. Tu comprends que je n'ai eu ni l'occasion ni l'envie de t'en parler. »

Elle était sûre qu'il ne pouvait pas la croire et se réjouissait que son mensonge fût si découvert, si impudique, si insolent, si hostile.

« J'ai appelé un taxi. Je descends. Il va être là d'un moment à l'autre. »

Elle lui sourit comme on sourit en guise d'au revoir ou d'adieu. Et, au dernier moment, comme si c'était contre son intention, comme si c'était un geste qui lui aurait échappé, elle posa sa main droite sur la joue de Jean-Marc ; ce geste fut bref, il ne dura qu'une ou deux secondes, puis elle lui tourna le dos et sortit.

39

Il sent sur la joue le contact de sa main, plus exactement le contact du bout de trois doigts, et c'est une trace froide, comme après l'attouchement d'une grenouille. Ses caresses étaient toujours lentes, calmes, il lui semblait qu'elles voulaient prolonger le temps. Tandis que ces trois doigts posés fugitivement sur sa joue, ce n'était pas une caresse mais un rappel. Comme si celle qui est happée par une tempête, par une vague qui l'emporte, ne disposait plus que d'un seul geste fugace pour dire : « Et pourtant, j'ai été là ! Je suis passée par là ! Malgré tout ce qui va arriver, ne m'oublie pas ! »

Machinalement, il s'habille et pense à ce qu'ils se sont dit au sujet de Londres. « Pourquoi à Londres ? » a-t-il demandé et elle lui a répondu : « Tu sais bien pourquoi à Londres. » C'était une claire allusion au départ annoncé dans la dernière lettre. Ce « tu sais bien » voulait dire : tu connais la lettre. Mais cette lettre, qu'elle venait de prendre dans la boîte, ne pouvait être connue que de son expéditeur et d'elle. Autrement dit, Chantal a arraché le masque au pauvre Cyrano et elle a voulu lui dire : c'est toi-même qui m'as invitée à Londres, donc je t'obéis.

Mais si elle a deviné (mon Dieu, mon Dieu, comment a-t-elle pu deviner ?) que c'est lui l'auteur des lettres, pourquoi l'a-t-elle pris si mal ? Pourquoi est-elle si cruelle ? Si elle a tout deviné, pourquoi n'a-t-elle pas deviné aussi les raisons de sa supercherie ? De quoi le soupçonne-t-elle ? Derrière toutes ces questions, il n'a qu'une certitude : il ne la comprend pas. Elle, d'ailleurs, n'a rien compris non plus. Leurs réflexions ont pris des directions opposées et il lui semble qu'elles ne se rencontreront plus.

La douleur qu'il éprouve n'aspire pas à se faire calmer, au contraire, elle veut exacerber la plaie et la porter comme on porte, à la vue de tous, une injustice. Il n'a pas la patience d'attendre le retour de Chantal pour lui expliquer le malentendu. Dans son for intérieur, il sait bien que ce serait le seul comportement raisonnable, mais la douleur ne veut pas entendre la raison, elle a sa propre raison qui n'est pas raisonnable. Ce que veut sa raison irraisonnable, c'est qu'à son retour Chantal trouve l'appartement vide, sans lui, tel qu'elle a proclamé le vouloir afin d'y être seule et sans espionnage. Il met dans sa poche quelques billets, tout son argent, puis il hésite un moment s'il doit ou non prendre les clés. Il finit par les laisser sur la petite tablette de l'entrée. Quand elle les verra, elle comprendra qu'il ne reviendra plus. Seules quelques vestes et chemises dans le placard, seuls quelques livres dans la bibliothèque resteront ici en souvenir.

Il sort sans savoir ce qu'il fera. L'important, c'est de quitter cet appartement qui n'est plus le sien. De le quitter avant de décider où il ira ensuite. C'est seulement quand il sera dans la rue qu'il s'autorisera à y penser.

Mais une fois en bas de l'immeuble, il éprouve l'étrange sensation de se trouver hors du réel. Il doit s'arrêter au milieu du trottoir pour pouvoir réfléchir. Où aller? Il a dans la tête des idées très disparates : le Périgord où habite une partie de sa famille paysanne qui l'accueille toujours avec plaisir; un quelconque hôtel bon marché à Paris. Pendant qu'il réfléchit, un taxi s'arrête à un feu rouge. Il lui fait signe.

40

Dans la rue, aucun taxi, bien sûr, ne l'attendait, et Chantal n'avait aucune idée où aller. Sa décision a été une totale improvisation provoquée par le trouble qu'elle était incapable de dominer. À ce moment, elle ne désire qu'une seule chose : ne pas le voir pendant au moins un jour et une nuit. Elle a pensé à une chambre d'hôtel ici même, à Paris, mais aussitôt l'idée lui a paru sotte : que ferait-elle toute la journée? Se promener dans les rues pour respirer leur puanteur? S'enfermer dans la chambre? Pour y faire quoi? Puis elle songe à prendre la voiture et à aller à la campagne, au hasard, pour trouver un endroit paisible et y rester un, deux jours. Mais où?

Sans trop savoir comment, elle se retrouva près d'une station d'autobus. Elle eut envie de monter dans le premier qui passerait et de se laisser conduire au terminus. Un autobus s'arrêta et elle fut étonnée de voir l'inscription qui, parmi les stations desservies, mentionnait la gare du Nord. C'est de là que partent les trains pour Londres.

Elle a l'impression d'être guidée par une conspiration de coïncidences et veut se persuader que c'est une fée bienveillante qui est venue à son secours. Londres : si elle a dit à Jean-Marc qu'elle s'y rendait c'était seulement pour lui faire savoir ainsi qu'elle l'avait démasqué. Maintenant, une idée lui vient : peut-être que Jean-Marc a pris la destination de Londres au sérieux; peut-être va-t-il la chercher à la gare. Et à cette idée une autre s'enchaîne, plus faible, à peine audible, comme la voix d'un tout petit oiseau : si Jean-Marc est là, ce curieux malentendu prendra fin. Cette idée est comme une caresse, mais une caresse trop courte parce que, immédiatement après, elle s'insurge de nouveau contre lui et repousse toute nostalgie.

Mais où va-t-elle aller et que va-t-elle faire? Et si elle partait vraiment pour Londres? Si elle laissait son mensonge se matérialiser? Elle se souvient que dans son calepin elle a toujours l'adresse de Britannicus. Britannicus : quel âge peut-il avoir? Elle sait que la rencontre avec lui serait la chose la moins probable du monde. Et alors? Tant mieux. Elle arrivera à Londres, s'y promènera, prendra une chambre d'hôtel et, demain, reviendra à Paris.

Puis cette idée lui déplaît : en partant de la maison, elle pensait retrouver son indépendance et, en réalité, elle se laisse manipuler par une force inconnue et incontrôlée. Partir pour Londres, cette décision que lui ont soufflée les hasards saugrenus, c'est une folie. Pourquoi penser que cette conspiration de coïncidences travaille pour elle ? Pourquoi la tenir pour une bonne fée ? Et si cette fée était maléfique et conspirait à sa perte ? Elle se promet : quand l'autobus s'arrêtera à la gare du Nord, elle ne bougera pas ; elle continuera sa route.

Mais quand l'autobus s'arrête, elle se surprend en train de descendre. Et, comme aspirée, elle se dirige vers le bâtiment de la gare.

Dans l'immense hall, elle voit l'escalier de marbre qui mène en haut, vers la salle d'attente destinée aux passagers pour Londres. Elle veut regarder l'horaire, mais avant de pouvoir le faire elle entend son nom au milieu de rires. Elle s'arrête et aperçoit ses collègues regroupés sous l'escalier. Quand ils comprennent qu'elle les a repérés, leur rire devient encore plus fort. Ils sont comme des collégiens qui ont réussi une bonne blague, un superbe coup de théâtre.

« Nous savons ce qu'il faut faire pour que tu viennes avec nous ! Si tu avais su que nous étions là tu aurais inventé comme toujours une excuse ! Sacrée individualiste ! » Et de nouveau, ils éclatent de rire.

Chantal savait que Leroy planifiait un colloque à Londres, mais qui n'aurait lieu que dans trois semaines. Comment peuvent-ils se trouver ici aujourd'hui ? Encore une fois, elle a cet étrange sentiment que ce qui se passe n'est pas vrai, ne peut pas être vrai. Mais cet étonnement est immédiatement relayé par un autre : contrairement à tout ce qu'elle pourrait elle-même supposer, elle se sent sincèrement heureuse de la présence de ses collègues, reconnaissante de lui avoir préparé cette surprise.

En montant l'escalier, une jeune collègue la prend par le bras et elle se dit que Jean-Marc ne faisait que la retirer tout le temps de la vie qui aurait dû être la sienne.

Elle l'entend dire : « Tu t'es placée au centre. » Et encore : « Tu t'es établie dans une citadelle de conformisme. » Elle lui répond maintenant : oui. Et tu ne m'empêcheras pas d'y rester !

Dans la foule des voyageurs, sa jeune collègue, toujours bras dessus, bras dessous, l'emmène vers le contrôle de police situé devant un autre escalier qui descend au quai. Comme enivrée, elle continue la dispute muette avec Jean-Marc et lui lance : quel juge a donc décidé que le conformisme est un mal et le non-conformisme un bien ? Se conformer n'est-ce pas se rapprocher des autres ? Le conformisme, n'est-ce pas ce grand lieu de rencontres où tous convergent, où la vie est le plus dense, le plus ardente ?

Du haut de l'escalier elle voit le train pour Londres, moderne et élégant, et elle se dit encore : que ce soit chance ou malchance d'être née sur cette terre, la meilleure façon d'y passer la vie est de se laisser porter, comme moi en ce moment, par une foule gaie et bruyante qui avance.

41

Assis dans le taxi, il a dit : « Gare du Nord ! » et cela a été le moment de vérité : il peut quitter l'appartement, il peut jeter les clés dans la Seine, dormir dans la rue, mais il n'a pas la force de s'éloigner d'elle. Aller la chercher à la gare est un geste de désespoir, mais le train pour Londres est le seul indice, le seul qu'elle lui a laissé, et Jean-Marc n'est pas en mesure de le négliger, si infime que soit la probabilité qu'il lui désigne le bon chemin.

Quand il arriva à la gare, le train pour Londres était là. Quatre à quatre, il grimpa l'escalier et acheta son billet ; la plupart des voyageurs étaient déjà passés ; sur le quai, qui était strictement surveillé, il descendit le dernier ; tout le long du train, des policiers se promenaient avec des bergers allemands exercés à découvrir des explosifs ; il monta dans son wagon plein de Japonais avec des appareils photo autour du cou ; il trouva sa place et s'assit.

C'est alors que l'absurdité de son comportement lui sauta aux yeux. Il est dans un train où, selon toute probabilité, celle qu'il cherche n'est pas. Dans trois heures il sera à Londres sans savoir pourquoi il y est; il a tout juste de quoi payer le voyage de retour. Désemparé, il se leva et sortit sur le quai avec la vague tentation de rentrer à la maison. Mais comment rentrer sans les clés? Il les avait posées sur la petite tablette de l'entrée. Redevenu lucide, il sait maintenant que ce geste n'était qu'un cabotinage sentimental qu'il s'est joué à lui-même : la gardienne a un double et le lui donnera tout naturellement. Hésitant, il regarda vers le bout du quai et vit que toutes les sorties étaient fermées. Il arrêta un agent et lui demanda comment partir de là; l'agent lui expliqua que ce n'était plus possible; pour des raisons de sécurité, quand on est dans ce train on ne peut plus en sortir; tout passager doit y rester comme la garantie vivante qu'il n'a pas déposé une bombe; il y a des terroristes islamistes et il y a des terroristes irlandais; ils ne font que rêver d'un massacre dans le tunnel sous-marin.

Il remonta, une femme contrôleur lui sourit, tout le personnel sourit et il se dit : c'est ainsi, avec des sourires multipliés et intensifiés, qu'on accompagne cette fusée lancée dans le tunnel de la mort, cette fusée où les guerriers de l'ennui, des touristes américains, allemands, espagnols, coréens, sont prêts à risquer leur vie pour leur grand combat. Il s'assit et, dès que le train démarra, il quitta son siège et alla à la recherche de Chantal.

Il entra dans un wagon de première classe. D'un côté du couloir il y avait des fauteuils pour une seule personne, de l'autre, pour deux ; au milieu du wagon les fauteuils étaient tournés face à face si bien que les voyageurs conversaient bruyamment ensemble. Chantal était parmi eux. Il la voyait de dos : il reconnaissait la forme infiniment touchante et presque drôle de sa tête avec son chignon démodé. Assise près de la fenêtre, elle participait à la conversation, qui était animée ; ce ne pouvaient être que ses collègues de l'agence ;

elle n'avait donc pas menti? si improbable que cela parût, non, certainement, elle n'avait pas menti.

Il restait sans bouger; il entendait plusieurs rires parmi lesquels il distinguait celui de Chantal. Elle était gaie. Oui, elle était gaie et cela le meurtrissait. Il regardait ses gestes pleins d'une vivacité qu'il ne lui connaissait pas. Il n'entendait pas ce qu'elle disait mais il voyait sa main qui énergiquement se levait et retombait; cette main, il lui fut impossible de la reconnaître; c'était la main de quelqu'un d'autre; il n'avait pas l'impression que Chantal le trahissait, c'était autre chose : il lui semblait qu'elle n'existait plus pour lui, qu'elle s'en était allée ailleurs, dans une autre vie où, s'il la rencontrait, il ne la reconnaîtrait plus.

42

D'un ton pugnace, Chantal dit : « Mais comment un trotskiste a-t-il pu devenir croyant? Où est la logique? »

« — Chère amie, vous connaissez la fameuse formule de Marx : changer le monde.

— Bien sûr. »

Chantal était assise près de la fenêtre, face à la plus âgée de ses collègues de l'agence, la dame distinguée aux doigts couverts de bagues ; à côté de celle-ci, Leroy continua : « Or, notre siècle nous a fait comprendre une chose énorme : l'homme n'est pas capable de changer le monde et ne le changera jamais. C'est la conclusion fondamentale de mon expérience de révolutionnaire. Conclusion d'ailleurs acceptée tacitement par tous. Mais il y en a une autre qui va plus loin. Elle est théologique et elle dit : l'homme n'a pas le droit de changer ce que Dieu a créé. Il faut aller jusqu'au bout de cette interdiction. »

Chantal le regardait avec délectation : il parlait non pas comme un donneur de leçons, mais comme un provocateur. C'est ce que Chantal aime en lui : ce ton sec d'un homme qui change tout ce qu'il fait en provocation, dans la tradition sacrée des révolutionnaires ou des avant-gardistes ; il n'oublie jamais d'«épater le bourgeois», même s'il dit les vérités les plus conventionnelles. D'ailleurs les vérités les plus provocatrices («au poteau les bourgeois!») ne deviennent-elles pas les vérités les plus conventionnelles quand elles arrivent au pouvoir? La convention peut, n'importe quand, devenir provocation et la provocation convention. Ce qui importe, c'est la volonté d'aller jusqu'au bout de toute attitude. Chantal imagine Leroy aux réunions houleuses de la révolte estudiantine de 1968, débitant, à sa façon intelligente, logique et sèche, les sentences contre lesquelles toute résistance du bon sens était condamnée à la débâcle : la bourgeoisie n'a pas le droit de vivre ; l'art que la classe ouvrière ne comprend pas doit disparaître ; la science qui sert les intérêts de la bourgeoisie est sans valeur ; ceux qui l'enseignent, il faut les chasser de l'université ; il n'y a pas de liberté pour les ennemis de la liberté. Plus la phrase qu'il proférait était absurde, plus il en était fier, car seule une très grande intelligence est capable d'insuffler un sens logique aux idées insensées.

Chantal répondit : « D'accord, je pense aussi que tous les changements sont néfastes. En ce cas, il serait de notre devoir de protéger le monde contre les changements. Hélas, le monde ne sait pas arrêter la course folle de ses transformations...

— ... dont l'homme n'est pourtant qu'un simple instrument », l'interrompit Leroy : « L'invention d'une locomotive contient en germe le plan d'un avion qui, inéluctablement, mène vers une fusée cosmique. Cette logique est contenue dans les choses elles-mêmes, autrement dit, elle fait partie du projet divin. Vous pouvez échanger complètement l'humanité pour une autre, n'empêche que l'évolution qui mène du bicycle vers la fusée restera intacte. De cette évolution l'homme n'est pas l'auteur, seulement un exécutant. Et même un pauvre exécutant puisqu'il ne connaît pas le sens de ce qu'il exécute. Ce sens, il ne nous appartient pas, il n'appartient qu'à Dieu et nous ne sommes ici que pour lui obéir afin qu'il puisse faire ce qu'il lui plaît. »

Elle ferma les yeux : le doux mot « promiscuité » lui arriva à l'esprit et l'imprégna ; elle prononça silencieusement pour elle-même : « promiscuité des idées ». Comment ces attitudes si contradictoires pouvaient-elles se relayer dans une seule tête comme deux maîtresses dans un même lit ? Autrefois elle en était presque indignée mais aujourd'hui cela l'enchante : car elle sait que l'opposition entre ce que Leroy disait jadis et ce qu'il professe aujourd'hui n'a aucune importance. Parce que toutes les idées se valent. Parce que toutes les affirmations et prises de position sont de même valeur, peuvent se frotter l'une à l'autre, se croiser, se caresser, se confondre, se peloter, se tripoter, copuler.

Une voix douce et légèrement tremblante s'éleva en face de Chantal : « Mais en ce cas, pourquoi sommes-nous ici-bas ? Pour quoi vivons-nous ? »

C'était la voix de la dame distinguée assise à côté de Leroy, qu'elle adore. Chantal imagine que Leroy est maintenant entouré de deux femmes entre lesquelles il devra choisir : une dame romantique et une dame cynique; elle entend la petite voix suppliante qui ne veut pas renoncer à ses belles croyances, mais qui (selon la fantaisie de Chantal) les défend avec le désir inavoué de les voir abaissées par son démoniaque héros qui, à ce moment, se tourne vers elle :

« Pour quoi vivons-nous ? Pour procurer à Dieu de la chair humaine. Car la Bible ne nous demande pas, ma chère dame, de chercher le sens de la vie. Elle nous demande de procréer. Aimez-vous et procréez. Comprenez bien : le sens de ce "aimez-vous" est déterminé par ce "procréez". Ce "aimez-vous" ne signifie donc aucunement amour caritatif, compatissant, spirituel ou passionnel, mais veut dire très simplement : "faites l'amour!" "copulez!"... (il fait sa voix plus douce et se penche vers elle :)... "baisez!" » (Tel un disciple dévoué, docilement, la dame le regarde dans les yeux.) « C'est en cela et en cela seulement que consiste le sens de la vie humaine. Tout le reste, c'est de la foutaise. »

Le raisonnement de Leroy est sec comme un rasoir, et Chantal est d'accord : l'amour en tant qu'exaltation de deux individus, l'amour comme fidélité, attachement passionné à une seule personne, non, cela n'existe pas. Et si cela existe, c'est seulement comme autopunition, cécité volontaire, fuite dans un monastère. Elle se dit que même s'il existe, l'amour ne doit pas exister, et cette idée ne la rend pas amère, au contraire, elle en ressent une félicité qui se répand dans son corps. Elle pense à la métaphore de la rose qui traverse tous les hommes et se dit qu'elle a vécu dans une réclusion d'amour et qu'elle est prête maintenant à obéir au mythe de la rose et à se confondre avec son parfum grisant. À ce point de ses réflexions, elle se souvient de Jean-Marc. Est-il resté à la maison ? Est-il sorti ? Elle se le demande sans aucune émotion : comme si elle se demandait s'il pleut à Rome ou s'il fait beau à New York.

Pourtant, si indifférent qu'il lui fût, le souvenir de Jean-Marc l'avait forcée à tourner la tête. Au fond du wagon, elle vit une personne tourner le dos et passer dans le wagon voisin. Elle eut l'impression de reconnaître Jean-Marc essayant de se dérober à son regard. Était-ce vraiment lui ? Au lieu de chercher la réponse, elle regardait par la fenêtre : le paysage était de plus en plus laid, les champs de plus en plus gris et les plaines transpercées d'un nombre de plus en plus grand de pylônes métalliques, de constructions en béton, de fils. La voix d'un haut-parleur annonça que le train, dans les prochaines secondes, descendrait sous la mer. En effet, elle vit un trou rond et noir où, tel un serpent, allait se glisser le train.

43

« Nous descendons », dit la dame distinguée, et sa voix trahit une excitation peureuse.

« Dans l'enfer », ajouta Chantal qui supposait que Leroy aurait voulu avoir la dame encore plus naïve, encore plus étonnée, encore plus peureuse. Elle se sentait maintenant sa diabolique assistante. Elle se réjouissait à l'idée de lui amener cette dame distinguée et pudique dans son lit qu'elle imaginait non pas dans un hôtel luxueux de Londres, mais sur une estrade au milieu de feux, de gémissements, de fumées et de diables.

Il n'y avait plus rien à voir par la fenêtre, le train était dans le tunnel et elle avait l'impression de s'éloigner de sa belle-sœur, de Jean-Marc, de toute surveillance, de tout espionnage, de s'éloigner de sa vie, de sa vie qui lui collait, qui lui pesait ; des mots surgirent à son esprit : « perdu de vue », et elle fut surprise que le voyage vers la disparition ne fût pas maussade mais, sous l'égide de sa mythologique rose, doux et joyeux.

« Nous descendons de plus en plus profond, dit la dame, anxieuse.

— Là où se trouve la vérité, dit Chantal.

— Là, renchérit Leroy, où se trouve la réponse à votre question : pour quoi vivons-nous ? qu'est-ce qui est essentiel dans la vie ? » Il fixa la dame : « L'essentiel, dans la vie, c'est de perpétuer la vie : c'est

178

l'accouchement, et ce qui le précède, le coït, et ce qui précède le coït, la séduction, c'est-à-dire les baisers, les cheveux qui planent dans le vent, les slips, les soutiens-gorge bien coupés, puis tout ce qui rend les gens aptes au coït, c'est-à-dire la bouffe, pas la grande cuisine, cette chose superflue que personne n'apprécie plus, mais la bouffe qu'achète tout le monde, et avec la bouffe la défécation, car vous savez, ma chère dame, ma belle dame adorée, vous savez quelle grande place occupe dans notre profession l'éloge du papier hygiénique et des couches. Papier hygiénique, couches, lessives, bouffe. C'est le cercle sacré de l'homme, et notre mission est non seulement de le découvrir, de le saisir et de le délimiter, mais de le rendre beau, de le transformer en chant. Grâce à notre influence le papier hygiénique est presque exclusivement de couleur rose et c'est un fait hautement édifiant que je vous recommande, ma chère et anxieuse dame, de bien méditer.

— Mais alors c'est la misère, la misère », dit la dame, sa voix vibrant comme la plainte d'une femme violée, « c'est la misère maquillée ! Nous sommes les maquilleurs de la misère !

— Oui, exactement », dit Leroy, et Chantal entendit dans cet « exactement » le plaisir qu'il tirait de la plainte de la dame distinguée.

« Mais en ce cas, où est la grandeur de la vie ? Si nous sommes condamnés à la bouffe, au coït, au papier hygiénique, qui sommes-nous ? Et si nous ne sommes capables que de cela, quelle fierté pouvons-nous tirer du fait que nous soyons, comme on nous le dit, des êtres libres ? »

Chantal regarda la dame et pensa que c'était la victime rêvée d'une partouze. Elle imagina qu'on la déshabillait, qu'on enchaînait son corps vieux et distingué et qu'on la forçait à répéter ses vérités naïves à voix haute et plaintive tandis que devant elle tout le monde copulait et s'exhibait...

Leroy interrompit les fantaisies de Chantal : « La liberté ? En vivant votre misère, vous pouvez être malheureuse ou heureuse. C'est dans ce choix que consiste votre liberté. Vous êtes libre de fondre votre individualité dans la marmite de la multitude avec un sentiment de défaite, ou bien avec euphorie. Notre choix, ma chère dame, c'est l'euphorie. »

Chantal sentit sur son visage se dessiner un sourire. Elle retint bien ce que Leroy venait de dire : notre seule liberté est de choisir entre l'amertume et le plaisir. L'insignifiance de tout étant notre lot, il ne faut pas la porter comme une tare, mais savoir s'en réjouir. Elle regardait le visage impassible de Leroy, l'intelligence aussi charmante que perverse qui en irradiait. Elle le regardait avec sympathie mais sans désir, et elle se dit (comme si elle balayait de la main sa rêverie précédente) qu'il avait depuis longtemps transsubstantié toute son énergie mâle en cette force de sa logique tranchante, en cette autorité qu'il exerçait sur son collectif de travail. Elle imagina leur descente du train : tandis que Leroy continuerait à effrayer par ses propos la dame qui l'adore, elle irait se perdre discrètement dans une cabine téléphonique pour ensuite leur échapper à tous.

44

Les Japonais, les Américains, les Espagnols, les Russes, tous avec des appareils photo autour du cou, sortent du train, et Jean-Marc essaie de ne pas perdre Chantal de vue. Le large flot humain se rétrécit soudain en disparaissant sous le quai par un escalier roulant. En bas de l'escalier, dans le hall, des hommes avec des caméras accourent, suivis d'une foule de badauds, et lui barrent la route. Les passagers du train sont obligés de s'arrêter. On entend des applaudissements et des cris tandis que des enfants descendent par un escalier latéral. Ils ont tous un casque sur la tête, des casques de différentes couleurs, comme si c'était une équipe de sportifs, de petits coureurs à moto ou à ski. Ce sont eux qu'on filme. Jean-Marc se met sur la pointe des pieds pour entrevoir Chantal par-dessus les têtes. Enfin, il la voit. Elle est de l'autre côté de la colonne d'enfants, dans une cabine téléphonique. Le combiné à l'oreille, elle parle. Jean-Marc s'efforce de se frayer un chemin. Il bouscule un cameraman qui, enragé, lui donne un coup de pied. Jean-Marc le heurte du coude et l'homme manque de laisser tomber sa caméra. Un policier s'approche et somme Jean-Marc d'attendre que le tournage soit fini. C'est alors que, pendant une ou deux secondes, ses yeux rencontrent le regard de Chantal sortant de la cabine. Il fonce de nouveau pour passer à travers la foule. Le policier lui tord le bras d'une prise si douloureuse que Jean-Marc se plie en deux et perd Chantal de vue.

Le dernier enfant casqué est passé et c'est seulement alors que le flic desserre sa prise et le lâche. Il regarde vers la cabine téléphonique mais elle est vide. Près de lui un groupe de Français s'est arrêté; il reconnaît les collègues de Chantal.

« Où est Chantal ? » demande-t-il à une jeune fille.

Elle répond sur un ton de reproche : « C'est vous qui devriez le savoir ! Elle était tellement gaie ! Mais quand on est sorti du train elle a disparu ! »

L'autre, plus grosse, est agacée : « Je vous ai vu dans le train. Vous lui avez fait des signes. J'ai tout vu. Vous avez tout gâché. »

La voix de Leroy les interrompt : « On y va ! »

La jeune fille demande : « Et Chantal ?

— Elle connaît l'adresse.

— Ce monsieur, dit la dame distinguée aux doigts couverts de bagues, la cherche aussi. »

Jean-Marc sait bien que Leroy le connaît de vue comme lui le connaît. Il lui dit : « Bonjour.

— Bonjour », répond Leroy, et il lui sourit : « Je vous ai vu vous bagarrer. Un contre tous. »

Jean-Marc croit sentir de la sympathie dans sa voix. Dans la détresse où il se trouve, c'est comme une main tendue qu'il veut saisir ; c'est comme une étincelle qui, en une seconde, lui promet une amitié ; l'amitié entre deux hommes qui, sans se connaître, seulement pour le plaisir d'une sympathie subite, sont prêts à s'entraider. C'est comme si un beau vieux rêve descendait vers lui.

Confiant, il dit : « Vous pouvez me dire le nom de votre hôtel ? Je voudrais téléphoner pour savoir si Chantal y est. »

Leroy se tait, puis il demande : « Elle ne vous l'a pas donné ?

— Non.

— En ce cas, excusez-moi », dit-il gentiment, presque avec regret, « je ne peux pas vous le donner. »

Éteinte, l'étincelle retomba et, de nouveau, Jean-Marc ressentit la douleur à l'épaule, séquelle de la prise du flic. Esseulé, il sortit de la gare. Ne sachant où aller, il se mit à marcher au hasard des rues.

Tout en marchant, il retire ses billets de sa poche et, encore une fois, il les compte. Il a assez pour le voyage de retour mais rien de plus. S'il se décide, il pourra repartir tout de suite. Ce soir il sera à Paris. Évidemment, ce serait la solution la plus raisonnable. Que va-t-il faire ici ? Il n'a rien à y faire. Et pourtant il ne peut pas partir. Il ne se décidera jamais à partir. Il ne peut pas quitter Londres si Chantal y est.

Mais puisqu'il doit garder son argent pour le voyage de retour, il ne peut pas prendre un hôtel, il ne peut pas manger, même pas un sandwich. Où va-t-il dormir? Du coup il sait que se confirme enfin ce dont il parlait si souvent à Chantal : par sa plus profonde vocation il est un marginal, un marginal qui a vécu dans l'aisance, il est vrai, mais seulement grâce à des circonstances tout à fait incertaines et temporaires. Le voici subitement tel qu'il est, renvoyé parmi ceux auxquels il appartient : parmi les pauvres qui n'ont pas de toit pour abriter leur délaissement.

Il se souvient des discussions avec Chantal et éprouve le besoin enfantin de l'avoir devant lui uniquement pour lui dire : enfin tu vois que j'avais raison, que ce n'était pas de la frime, que je suis vraiment qui je suis, un marginal, un sans-abri, un clochard.

45

Le soir était tombé et l'atmosphère s'était refroidie. Il prit une rue bordée d'un côté d'une rangée de maisons, de l'autre d'un parc entouré d'une grille peinte en noir. Là, sur le trottoir qui longeait le parc, se trouvait un banc en bois; il s'y assit. Il se sentit très fatigué et l'envie lui vint de mettre les jambes sur le siège et de s'allonger. Il pensa : c'est certainement ainsi que ça commence. Un jour on met ses jambes sur le siège d'un banc, puis la nuit tombe et on s'endort. C'est ainsi qu'un jour on se range parmi les vagabonds et qu'on devient l'un d'eux.

C'est pourquoi, de toutes ses forces, il maîtrisa sa fatigue et resta assis très droit comme un bon élève dans une salle de classe. Il avait derrière lui des arbres et devant lui, de l'autre côté de la chaussée, des maisons; elles étaient toutes pareilles, blanches, à deux étages, avec deux colonnes devant l'entrée et quatre fenêtres à chaque étage. Attentivement, il regardait

chacun des passants de cette rue peu fréquentée. Il était décidé à y rester jusqu'à
ce qu'il vît Chantal. Attendre, c'était la
seule chose qu'il pût faire pour elle, pour
eux deux.

Tout à coup, à une trentaine de mètres
sur la droite, toutes les fenêtres d'une maison s'allument et, à l'intérieur, quelqu'un
tire des rideaux rouges. Il se dit qu'une
compagnie mondaine s'y est installée pour
une fête. Mais il est étonné de n'avoir vu
personne entrer; est-ce qu'ils sont tous là
depuis longtemps et viennent juste d'allu-
mer les lumières? Ou peut-être, à son
insu, s'est-il endormi et ne les a-t-il pas
vus arriver? Mon Dieu, et si, en dormant,
il a manqué Chantal? D'emblée, l'idée
d'une partouze suspecte le foudroie; il
entend les mots : « Tu sais bien pourquoi
Londres »; et ce « tu sais bien » lui apparaît
soudain sous un tout autre jour : Londres,
c'est la ville de l'Anglais, du Britannique,
de Britannicus; c'est à lui qu'elle a téléphoné de la gare et c'est pour lui qu'elle a
échappé à Leroy, à ses collègues, à eux
tous.

La jalousie le saisit, énorme et douloureuse, non pas la jalousie abstraite, mentale, qu'il a éprouvée quand, devant l'armoire ouverte, il se posait la question toute théorique de la capacité de Chantal à le trahir, mais la jalousie telle qu'il l'avait connue dans sa jeunesse, la jalousie qui transperce le corps, qui l'endolorit, qui est insupportable. Il imagine Chantal se donnant aux autres, obéissante et dévouée, et il ne peut plus tenir. Il se lève et court vers la maison. Sa porte, toute blanche, est éclairée par une lanterne. Il tourne la poignée, la porte s'ouvre, il entre, voit un escalier avec un tapis rouge, entend des bruits de voix en haut, monte, arrive au grand palier du premier étage, occupé sur toute sa largeur par une longue tringle avec des manteaux, mais aussi (et c'est un nouveau coup au cœur) avec des robes de femmes et quelques chemises d'hommes. Enragé, il passe à travers tous ces vêtements et parvient à une grande porte à deux battants, blanche elle aussi, quand une lourde main s'abat sur son épaule endolorie. Il se retourne et sent sur la joue le souffle d'un homme costaud, en tee-shirt, les bras tatoués, qui lui parle en anglais.

Il s'efforce de secouer cette main qui lui fait de plus en plus mal et le pousse vers l'escalier. Là, tâchant de résister, il perd l'équilibre et ce n'est qu'au dernier moment qu'il réussit à s'accrocher à la rampe. Vaincu, il descend lentement l'escalier. Le tatoué le suit et quand Jean-Marc, hésitant, s'arrête devant la porte, il lui crie quelque chose en anglais et, d'un bras levé, lui ordonne de sortir.

46

L'image de la partouze accompagnait Chantal depuis longtemps, dans ses rêves confus, dans son imagerie et même dans ses conversations avec Jean-Marc qui lui avait dit un jour (un jour si lointain) : je voudrais bien y être avec toi mais à une condition : au moment de la jouissance chacun des participants se transformera en animal, qui en brebis, qui en vache, qui en chèvre, si bien que l'orgie de Dionysos deviendra une pastorale où nous resterons seuls au milieu des bêtes, comme un berger et une bergère. (Cette fantaisie idyllique l'amusait : les pauvres partouzards se hâtent vers la maison du vice en ignorant qu'ils la quitteront changés en vaches.)

Elle est entourée de gens nus et c'est le moment où elle préférerait les brebis aux humains. Ne voulant plus voir personne, elle ferme les yeux : mais derrière ses paupières elle les voit toujours, leurs organes qui se lèvent, qui rapetissent, qui sont grands, qui sont minces. Cela lui fait l'effet d'un champ où des vers de terre se dressent, se courbent, se tortillent, retombent. Puis, elle ne voit plus des vers de terre mais des serpents ; elle est répugnée et, pourtant, toujours excitée. Seulement, cette excitation ne lui donne pas envie de refaire l'amour, au contraire, plus elle est excitée et plus elle est répugnée par sa propre excitation qui lui fait comprendre que ce n'est pas à elle qu'appartient son corps, mais à ce champ fangeux, à ce champ de vers et de serpents.

Elle ouvre les yeux : de la pièce contiguë une femme vient dans sa direction, s'arrête dans la porte grande ouverte et, comme si elle voulait l'arracher à cette niaiserie mâle, à ce règne de vers de terre, toise Chantal d'un regard séducteur. Elle est grande, magnifiquement bâtie, avec des cheveux blonds autour d'un beau visage. Au moment précis où Chantal est sur le point de répondre à son invitation muette, la blonde arrondit les lèvres et fait sortir de la salive ; Chantal voit cette bouche comme agrandie par une puissante loupe : la salive est blanche et pleine de petites bulles d'air ; la femme fait sortir et entrer cette écume de salive comme si elle voulait aguicher Chantal, comme si elle voulait lui promettre des baisers tendres et humides où l'une se diluerait dans l'autre.

Chantal regarde la salive qui perle, qui tremble, qui suinte sur les lèvres, et son dégoût devient nausée. Elle se retourne pour discrètement se dérober. Mais, par-derrière, la blonde lui attrape la main. Chantal se libère et fait quelques pas pour s'évader. Sentant de nouveau la main de la blonde sur son corps, elle se met à courir. Elle entend la respiration de sa persécutrice qui, certainement, a pris sa fuite pour un jeu érotique. Elle est piégée : plus elle s'efforce d'échapper, plus elle excite la blonde qui attire vers elle d'autres persécuteurs qui la pourchassent comme une proie.

Elle emprunte un couloir et entend des pas derrière elle. Les corps qui la pourchassent lui répugnent à tel point que son dégoût, rapidement, se transforme en terreur : elle court comme si elle devait sauver sa vie. Le couloir est long et se termine par une porte ouverte qui donne dans une petite salle carrelée avec une porte dans un coin; elle l'ouvre, et la referme derrière elle.

Dans l'obscurité, elle s'appuie au mur pour reprendre son souffle; puis elle tâtonne autour de la porte et allume la lumière. C'est un cagibi : un aspirateur, des balais, des serpillières. Et par terre, sur un tas de chiffons, roulé en boule, un chien. N'entendant plus aucune voix de l'extérieur elle se dit : le moment des animaux est arrivé, et je suis sauvée. Tout haut, elle demande au chien : « Tu es lequel de ces hommes ? »

Tout à coup, ce qu'elle a dit la déconcerte. Mon Dieu, se demande-t-elle, d'où m'est venue l'idée que les gens à la fin de la partouze deviennent des animaux ?

C'est étrange : elle ne sait plus du tout d'où cette idée lui est venue. Elle cherche dans sa mémoire et elle n'y trouve rien. Elle ressent seulement une douce sensation qui ne lui évoque aucun souvenir concret, sensation énigmatique, inexplicablement heureuse, tel un salut venu de loin.

Brusquement, brutalement, la porte s'ouvre. Une femme noire est entrée, petite, en blouse verte. Elle jette sur Chantal un regard sans surprise, court et méprisant. Chantal fait un pas de côté pour lui permettre de prendre le grand aspirateur et de sortir avec.

Elle s'est ainsi rapprochée du chien qui montre les crocs et grogne. La terreur la saisit de nouveau ; elle sort.

47

Elle était dans le couloir et n'avait qu'une seule pensée : trouver le palier où, sur une tringle, étaient suspendus ses vêtements. Mais les portes dont elle tournait la poignée étaient toutes fermées à clé. Enfin, par la grande porte ouverte, elle entra au salon ; il lui parut étrangement grand et vide : la femme noire en blouse verte s'y était déjà mise au travail avec le grand aspirateur. De toute la compagnie de la soirée, ne restaient que quelques messieurs qui, debout, à voix basse, conversaient ; ils étaient habillés et ne prêtaient aucune attention à Chantal qui, se rendant compte de sa nudité subitement inconvenante, les observait timidement. Un autre monsieur, dans les soixante-dix ans, en peignoir blanc et en pantoufles, alla vers eux et leur parla.

Elle se creusait la tête pour découvrir par où elle pourrait sortir, mais avec cette atmosphère métamorphosée, avec ce dépeuplement inattendu, la disposition des pièces lui apparaissait comme transfigurée et elle n'était pas à même de s'y reconnaître. Elle vit grande ouverte la porte de la pièce contiguë où la blonde avec de la salive sur la bouche l'avait draguée ; elle passa par là ; la pièce était vide ; elle s'y arrêta et chercha une porte ; il n'y en avait pas.

Elle retourna au salon et constata qu'entre-temps les messieurs étaient partis. Pourquoi n'a-t-elle pas été plus attentive ? Elle aurait pu les suivre ! Seul le septuagénaire en peignoir était là. Leurs regards se rencontrèrent et elle le reconnut ; avec l'exaltation d'une confiance soudaine, elle alla vers lui : « Je vous ai téléphoné, vous vous rappelez ? Vous m'avez dit de venir, mais quand je suis arrivée je ne vous ai pas trouvé !

— Je sais, je sais, excusez-moi, je ne participe plus à ces jeux d'enfants », lui dit-il, aimablement, mais sans lui prêter attention. Il se dirigea vers les fenêtres et les ouvrit l'une après l'autre. Un fort courant d'air parcourut le salon.

« Je suis tellement heureuse de trouver quelqu'un que je connais, dit Chantal, agitée.

— Il faut chasser toute cette puanteur.

— Dites-moi comment trouver le palier. J'y ai toutes mes affaires.

— Soyez patiente », dit-il et il alla dans un coin du salon où, oubliée, se trouvait une chaise ; il la lui apporta : « Asseyez-vous. Je m'occupe de vous dès que je suis libre. »

La chaise est placée au milieu du salon. Docilement, elle s'assoit. Le septuagénaire va vers la femme noire et disparaît avec elle dans l'autre pièce. C'est là que ronfle maintenant l'aspirateur ; à travers ce bruit, Chantal entend la voix du septuagénaire donnant des ordres et puis quelques coups de marteau. Un marteau ? s'étonne-t-elle. Qui travaille ici avec un marteau ? Elle n'a vu personne ! Quelqu'un a dû venir ! Mais par où est-il entré ?

Le courant d'air soulève les rideaux rouges près des fenêtres. Nue sur sa chaise, Chantal a froid. Une fois encore elle entend des coups de marteau et, effrayée, elle comprend : ils clouent toutes les portes ! Elle ne sortira jamais d'ici ! Une sensation d'immense danger l'envahit. Elle se lève de sa chaise, fait trois ou quatre pas mais, ne sachant où aller, s'arrête. Elle veut crier au secours. Mais qui peut la secourir ? À ce moment d'extrême angoisse, l'image lui revient d'un homme qui se bat contre la foule pour parvenir à elle. Quelqu'un lui tord le bras derrière le dos. Elle ne voit pas son visage, seulement son corps courbé. Mon Dieu, elle voudrait se souvenir un peu plus exactement de lui, évoquer ses traits, mais elle n'y arrive pas, elle sait seulement que c'est l'homme qui l'aime et c'est la seule chose qui lui importe maintenant. Elle l'a vu dans cette ville, il ne peut être loin. Elle veut le retrouver le plus vite possible. Mais comment ? Les portes sont clouées ! Puis elle voit un rideau rouge qui plane près d'une fenêtre. Les fenêtres ! Elles sont ouvertes ! Il faut qu'elle aille vers la fenêtre ! Qu'elle crie dans la rue ! Elle pourra même sauter dehors, si la fenêtre n'est pas trop haute ! Encore un coup de marteau. Et encore un. C'est maintenant ou jamais. Le temps travaille contre elle. C'est sa dernière occasion d'agir.

48

Il revint vers le banc à peine visible dans l'obscurité qu'avaient laissée entre eux les deux seuls réverbères de la rue, très éloignés l'un de l'autre.

Il fit le geste de s'asseoir et entendit un hurlement. Il sursauta ; un homme qui entre-temps avait occupé le banc l'injuria. Il s'en alla sans protester. Ça y est, se dit-il, c'est mon nouveau statut ; je devrai me battre même pour un petit coin où dormir.

Il s'arrêta là où, de l'autre côté de la chaussée, en face de lui, la lanterne suspendue entre les deux colonnes éclairait la porte blanche de la maison d'où on l'avait chassé deux minutes plus tôt. Il s'assit sur le trottoir et s'adossa à la grille qui entourait le parc.

Puis la pluie, fine, commença à tomber. Il redressa le col de sa veste et observa la maison.

Subitement, l'une après l'autre, les fenêtres s'ouvrent. Les rideaux rouges, écartés sur les côtés, flottent sous la brise et lui laissent voir le plafond blanc éclairé. Qu'est-ce que cela signifie ? La fête est finie ? Mais personne n'est sorti ! Il y a quelques minutes, il grillait sur le feu de la jalousie et maintenant il ne ressent que de la peur, rien que de la peur pour Chantal. Il veut tout faire pour elle mais il ne sait pas ce qu'il faut faire et c'est cela qui est insoutenable : il ne sait comment l'aider et pourtant lui seul peut l'aider, lui, lui seul, parce qu'elle n'a personne d'autre au monde, personne d'autre nulle part au monde.

Le visage mouillé de larmes, il se dresse, fait quelques pas vers la maison et crie son nom.

49

Le septuagénaire, une autre chaise à la main, s'arrête devant Chantal : « Où voulez-vous aller ? »

Surprise, elle le voit en face d'elle et dans ce moment de grand trouble une forte vague de chaleur monte des profondeurs de son corps, remplit son ventre, sa poitrine, couvre son visage. Elle est en flammes. Elle est toute nue, elle est toute rouge, et le regard de l'homme posé sur son corps lui fait sentir chaque parcelle de sa nudité brûlante. D'un geste machinal elle porte la main sur son sein comme si elle voulait le cacher. À l'intérieur de son corps les flammes consument vite son courage et sa révolte. Soudain, elle se sent fatiguée. Soudain, elle se sent faible.

Il la prend par le bras, l'emmène vers la chaise et place sa propre chaise juste devant elle. Ils sont assis, seuls, face à face, l'un près de l'autre, au milieu du salon vide.

Le courant d'air froid embrasse le corps de Chantal en sueur. Elle tremble et, d'une voix fluette et suppliante, demande : « On ne peut pas sortir d'ici ?

— Et pourquoi ne voulez-vous pas rester avec moi, Anne ? lui demande-t-il sur un ton de reproche.

— Anne ? » Elle est glacée d'horreur : « Pourquoi m'appelez-vous Anne ?

— N'est-ce pas votre nom ?

— Je ne suis pas Anne !

— Mais depuis toujours je vous connais sous le nom d'Anne ! »

De la pièce contiguë parvinrent encore quelques coups de marteau ; il tourna la tête dans leur direction comme s'il hésitait à intervenir. Elle s'appropria ce moment d'esseulement pour essayer de comprendre : elle est nue, mais ils continuent à la déshabiller ! La déshabiller de son moi ! La déshabiller de son destin ! Après lui avoir donné un autre nom, ils l'abandonneront parmi des inconnus auxquels elle ne pourra jamais expliquer qui elle est.

Elle n'espère plus sortir d'ici. Les portes sont clouées. Il faut que, modestement, elle commence par le commencement. Le commencement, c'est son nom. Elle veut obtenir d'abord, comme minimum indispensable, que l'homme en face l'appelle par son nom, son vrai nom. C'est la première chose qu'elle lui demandera. Qu'elle exigera. Mais à peine s'enjoint-elle ce but, elle constate que son nom est comme bloqué dans son esprit; elle ne s'en souvient pas.

Cela la met au comble de la panique, mais elle sait que sa vie est en jeu et que, pour se défendre, pour se battre, elle doit à tout prix retrouver son sang-froid; avec une concentration acharnée, elle s'efforce de se souvenir : on lui a donné trois noms de baptême, oui, trois, elle en a utilisé seulement un, cela elle le sait, mais quels étaient ces trois noms et lequel a-t-elle gardé? Mon Dieu, elle a dû entendre ce nom des milliers de fois!

La pensée de l'homme qui l'aimait resurgit. S'il était ici, il l'appellerait par son nom. Peut-être, si elle réussissait à se souvenir de son visage, saurait-elle imaginer la bouche qui prononce son nom. Cela lui semble une bonne piste : arriver à son nom par le biais de cet homme. Elle essaie de l'imaginer et, encore une fois, elle voit une silhouette qui se démène au milieu d'une foule. C'est une image pâle, fuyante, elle s'efforce de la maintenir, de la maintenir et de l'approfondir, de l'étendre vers le passé : d'où est-il venu, cet homme ? comment s'est-il trouvé dans la foule ? pourquoi s'est-il battu ?

Elle s'efforce d'étendre ce souvenir et un jardin lui apparaît, grand, avec une villa, où, parmi beaucoup de gens, elle distingue un homme de petite taille, chétif, et elle se souvient d'avoir eu avec lui un enfant, un enfant dont elle ne sait rien sauf qu'il est mort...

« Où vous êtes-vous perdue, Anne ? »

Elle lève la tête et voit quelqu'un de vieux qui, assis sur une chaise devant elle, la regarde.

« Mon enfant est mort », dit-elle. Le souvenir est trop faible ; c'est justement pour cela qu'elle le dit à voix haute ; elle pense le rendre ainsi plus réel ; elle pense le retenir ainsi, tel un bout de sa vie qui la fuit.

Il s'incline vers elle, lui prend les mains et dit posément, d'une voix pleine d'encouragement : « Anne, oubliez votre enfant, oubliez vos morts, pensez à la vie ! »

Il lui sourit. Puis il fait un grand geste de la main comme s'il voulait désigner quelque chose d'immense et de sublime : « La vie ! La vie, Anne, la vie ! »

Ce sourire et ce geste la remplissent d'épouvante. Elle se met debout. Elle tremble. Sa voix tremble : « Quelle vie ? Qu'est-ce que vous appelez la vie ? »

La question qu'elle vient de prononcer sans réfléchir en appelle une autre : et si c'était déjà la mort ? si c'est cela, la mort ?

Elle rejette la chaise qui roule à travers le salon et heurte le mur. Elle veut crier mais ne trouve aucun mot. Un aaaaa long et inarticulé jaillit de sa bouche.

50

« Chantal ! Chantal ! Chantal ! »

Il serrait dans ses bras son corps secoué par le cri.

« Réveille-toi ! Ce n'est pas vrai ! »

Elle tremblait dans ses bras, et il lui redisait encore plusieurs fois que ce n'était pas vrai.

Elle répétait après lui : « Non, ce n'est pas vrai, ce n'est pas vrai », et, lentement, très lentement, elle se calmait.

Et je me demande : qui a rêvé ? Qui a rêvé cette histoire ? Qui l'a imaginée ? Elle ? Lui ? Tous les deux ? Chacun pour l'autre ? Et à partir de quel moment leur vie réelle s'est-elle transformée en cette fantaisie perfide ? Quand le train s'est enfoncé sous la Manche ? Plus tôt ? Le matin où elle lui a annoncé son départ pour Londres ? Encore plus tôt ? Ce jour où, dans le cabinet du graphologue, elle a rencontré le garçon de café de la ville normande ? Ou encore plus tôt ? Quand Jean-Marc lui a envoyé la première lettre ? Mais les a-t-il envoyées vraiment, ces lettres ? Ou les a-t-il écrites seulement dans son imagination ? Quel est le moment précis où le réel s'est transformé en irréel, la réalité en rêverie ? Où était la frontière ? Où est la frontière ?

51

Je vois leurs deux têtes, de profil, éclairées par la lumière d'une petite lampe de chevet : la tête de Jean-Marc, la nuque sur un oreiller; la tête de Chantal penchée quelque dix centimètres au-dessus de lui.

Elle disait : «Je ne te lâcherai plus du regard. Je te regarderai sans interruption.»

Et après une pause : «J'ai peur quand mon œil clignote. Peur que pendant cette seconde où mon regard s'éteint ne se glisse à ta place un serpent, un rat, un autre homme.»

Il essayait de se soulever un peu pour la toucher de ses lèvres.

Elle hochait la tête : «Non, je veux seulement te regarder.»

Et puis : «Je vais laisser la lampe allumée toute la nuit. Toutes les nuits.»

Achevé en France à l'automne 1996.

Le regard des amants [1]

Le lecteur de L'identité *sera d'abord frappé par les ressemblances qui rattachent ce neuvième roman de Kundera à* La lenteur, *qui le précède immédiatement. Même brièveté, même construction en 51 petits chapitres, même resserrement de l'action et du propos, même prose dépouillée et précise. Il n'y a pas jusqu'au décor initial de* L'identité — *cet hôtel de province où arrive Chantal — qui ne rappelle le château-relais où se déroulait* La lenteur.

Certes, les deux romans présentent aussi des différences. La plus notable concerne le mode ou la tonalité dominante de chacun : au rire et à l'ironie virulente dans lesquels baignait La lenteur, *avec sa foule de personnages loufoques rassemblés pour le congrès d'entomologie, s'oppose ici un climat plus grave, ou du moins plus tempéré, plus « intime », qui s'explique peut-être par la position centrale, quasi exclusive, qu'y*

---

1. Ce texte a d'abord été publié dans la revue *La N.R.F.* en janvier 1998 (n° 540).

occupent *les deux amants. De même, l'extrême concentration spatiale et temporelle qui marquait* La lenteur *(une seule nuit, un seul lieu) fait place ici à une action qui se déroule en plusieurs endroits (la ville normande, Paris, Bruxelles, Londres) et s'étend sur des semaines, sinon des mois, sans compter les nombreux flash-back qui font revivre le passé parfois lointain des personnages.*

Mais ces différences, me semble-t-il, sont moins importantes que les ressemblances entre les deux romans, ce qui conduit à voir dans L'identité, *après* La lenteur, *une nouvelle étape de ce qui deviendra peut-être un second « cycle » dans l'œuvre de Kundera, un cycle «français» faisant suite au cycle « tchèque » qu'avait inauguré* La plaisanterie *et auquel* L'immortalité *semble bel et bien avoir mis fin.*

Que sera ce nouveau cycle, il est encore trop tôt pour le savoir, bien sûr. Au point de vue de la composition, il continuera vraisemblablement de se caractériser par l'exploration de cette forme qui contraste avec celle des romans « tchèques » : le roman court, à un seul niveau d'articulation, centré sur un nombre relativement restreint de personnages et d'actions. Au point de vue des thèmes et de leur mode de développement, cependant, la différence entre les deux cycles serait plus ardue à définir, tant se retrouve, dans L'identité *comme dans* La lenteur, *le même type d'« analyse existentielle » en forme de variation qui donnait aux vastes romans écrits en tchèque leur richesse de signification et leur beauté. Et c'est là, peut-être, ce qui constitue à la fois la principale nou-*

veauté et le grand défi de ce nouveau cycle : faire tenir dans le minimum d'espace textuel un maximum de profondeur, de variété et de complexité sémantique ; couler dans la forme romanesque la plus concentrée une signification aussi pleine, aussi inépuisable, aussi « irrésumable » que celle de ces immenses machines narratives qu'étaient les derniers romans « tchèques » de Kundera.

L'identité, à cet égard, est une sorte de chef-d'œuvre. En une petite centaine de pages, à travers une histoire qui allie à la simplicité et à l'efficacité de l'intrigue une grande générosité d'épisodes et de « rebondissements », le lecteur est convié de nouveau, comme dans Le livre du rire et de l'oubli ou comme dans L'insoutenable légèreté de l'être, à une médi-tation, à un voyage (ou à une promenade) théma-tique qui, littéralement, n'a pas de fin.

Pour nous guider, deux personnages : Jean-Marc, et surtout Chantal, objet d'une attention, d'une compassion et de ce que j'oserais appeler un « amour narratif » tels qu'ils font d'elle la sœur des plus grandes héroïnes kundériennes, Tamina, Sabina, Agnès, madame de T. Pour baliser le chemin, quelques motifs et mots-thèmes sans cesse repris, interrogés, déplacés d'une situation à l'autre, d'un personnage à l'autre, jusqu'à ce que leurs valeurs et leurs couches de signifi-cation soient devenues à la fois si diverses et si étroite-ment associées qu'aucune formulation simple et univoque de leur contenu n'est possible et qu'ils en viennent à former eux-mêmes, comme les images d'un poème, les éléments d'un nouveau langage proprement romanesque, c'est-à-dire polysémique et absolument intraduisible. Tel est ici, bien sûr, le thème de l'identité, qui donne son titre au roman et se trouve au centre d'une constellation dans laquelle gravitent une série de motifs qui en sont autant de facettes existentielles et problématiques : la disparition, le regard, le double visage, le corps, le nom, la mort. Mais tels sont aussi, pour ne citer que quelques exemples, les leitmotive du rêve, de l'ennui, du cri, de la salive, et surtout cette couleur rouge qui s'allume sans cesse dans la vie et la conscience de Chantal comme un signe mystérieux et menaçant.

Un autre trait remarquable par lequel L'identité et La lenteur peuvent être rapprochés est le recours à la narration onirique. Déjà, dans les œuvres du cycle tchèque, Kundera utilisait volontiers ce type de narration, que l'auteur de L'art du roman considère d'ailleurs comme l'une des grandes inventions du roman moderne, due pour l'essentiel à Kafka. Mais de manière générale, les romans « tchèques » n'en faisaient qu'un usage plutôt épisodique, et la frontière entre la réalité et le rêve y demeurait claire. Dans La vie est ailleurs, par exemple, les chapitres mettant en scène le personnage « onirique » de Xavier restaient distincts de ceux qui concernaient le personnage « réel » de Jaromil. Même chose, dans Le livre du rire et de l'oubli, pour le séjour de Tamina dans l'île des enfants ou, dans L'immortalité, pour la trame qui se tissait autour de Goethe et Hemingway.

Avec les deux romans courts, un changement notable se produit à cet égard. Non seulement la part du rêve, ou du moins l'incertitude quant au statut ontologique des personnages et des événements tend à s'accroître, mais la distinction entre les deux territoires devient de plus en plus diffuse. Ainsi, dans La lenteur, tandis que des images issues de la pensée du narrateur se glissaient dans les rêves de Véra endormie, deux histoires se déroulaient ensemble dans le même lieu et pendant la même nuit : l'une, contemporaine, mettant en scène les participants du congrès d'entomologie, l'autre venue du XVIIIe siècle de Vivant Denon. Entre ces deux histoires, toutefois, un certain clivage subsistait. Certes, le monde « réel » et le monde « irréel » finissaient par se toucher, lors de la rencontre de Vincent et du chevalier, mais cette rencontre restait extrêmement fugitive et n'avait lieu qu'au petit matin ; elle marquait la fin du roman.

Dans L'identité, le brouillage est beaucoup plus poussé. On n'est plus ici en présence de deux mondes juxtaposés, mais bien dans un monde qui peu à peu se transforme en un autre monde, dans un « réel » qui, sans qu'on s'en rende bien compte sur le coup, se met à dériver, à se déplacer vers la zone du rêve (ou, pour être plus précis, du cauchemar). Relisons les premières pages du roman : un hôtel au bord de la mer, une plage couverte de gens en vacances, une femme venue là pour attendre son amant ; rien, en somme, que de bien « normal ». Relisons maintenant la fin du même roman : une nuit étrange dans une maison de Londres aux fenêtres tendues de rideaux rouges, des partouzards déchaînés et fantomatiques, des portes que l'on cloue, une femme nue qui se cache *dans un cagibi et qui ne sait plus son nom, tandis que dans la rue, en face, un homme sans le sou pousse un cri; on est en plein délire, dans un monde où les conventions du «réel» ordinaire ne fonctionnent plus. Entre ces deux scènes, comment tout a-t-il pu basculer? Que s'est-il passé? Qu'est-il arrivé aux personnages? «[...] à partir de quel moment [demande le narrateur] leur vie réelle s'est-elle transformée en cette fantaisie perfide? [...] Quel est le moment précis où le réel s'est transformé en irréel, la réalité en rêverie? Où était la frontière? Où est la frontière?»*

Une des grandes réussites du roman est de ne pas répondre à cette question, de la laisser pour ainsi dire en suspens perpétuel. Les deux registres narratifs sont si parfaitement fondus l'un à l'autre, l'un dans l'autre, que le lecteur se découvre plongé tout à coup dans l'univers du rêve, mais sans pouvoir dire exactement quand ni comment ce rêve a commencé, ni même s'il a jamais commencé, en fait, tant le passage d'un monde à l'autre s'est fait subtilement et sans heurt. «Où est la frontière?» Certes. Mais on pourrait aussi demander: y a-t-il une frontière, un point où s'arrête le réel ordinaire et où commence le délire? Jamais comme ici, dans l'œuvre de Kundera, il n'aura été à ce point permis d'en douter.

S'il n'était qu'une prouesse technique, le glissement ainsi opéré entre réalité et rêve n'aurait qu'un intérêt limité. Ce qui, dans L'identité, *fait tout son prix (et toute sa beauté), c'est qu'il sert directement le propos du roman et permet de faire voir ce qu'aucun autre* moyen, aucun autre procédé formel ne permettrait de faire voir aussi clairement. Ce propos, ou du moins ce qui constitue à mes yeux le foyer sémantique le plus ardent de tout le roman, c'est l'image de la fragilité. Fragilité de l'identité, certes, mais aussi, et peut-être plus profondément encore, insoutenable fragilité — et en même temps infinie puissance — de l'amour.

L'identité, en effet, de même qu'une grande partie de l'œuvre de Kundera, peut se lire comme une méditation sur l'amour. Par bien des aspects, c'est la reprise d'un schème narratif dont on trouvait déjà une actualisation dans « Le jeu de l'auto-stop », la troisième nouvelle de Risibles amours : un homme, par jeu et pour répondre à ce qu'il croit être un désir de la femme qu'il aime, fait subir à celle-ci une « expérience » qui met à l'épreuve l'amour qu'elle lui porte. Entre « Le jeu de l'auto-stop » et L'identité, toutefois, existe une différence de taille : tandis que l'« auto-stoppeuse » et son compagnon étaient des jeunes gens sans expérience, Jean-Marc et Chantal sont des amants qui ont vécu. On ne sait pas exactement l'âge de Chantal, mais elle a quatre ans de plus que Jean-Marc, qui de toute évidence n'est plus un jeune homme ; et elle est parvenue à ce qu'on appelle la ménopause.

Chantal, en un mot, est une femme mûre. Sa liaison avec Jean-Marc n'a rien pour elle du premier amour, aveugle et lyrique. Elle en est à la saison des deuxièmes amours, des amours qui sont comme au-delà ou à côté de l'amour. Elle ne cherche pas l'exaltation ou l'extase, ni quelque expérience de fureur érotique qui lui ferait franchir les limites de son moi. Ce

*qu'elle trouve auprès de Jean-Marc, au contraire,
c'est un espace dans lequel elle peut être tranquillement
elle-même, en toute lucidité et en toute paix. C'est ce
qu'exprime de manière saisissante une scène du roman
qui se situe juste avant que ne commence l'intrigue des
lettres anonymes :*

> « [elle] vivait depuis déjà quelques années
> avec Jean-Marc, elle se trouva un jour avec
> lui au bord de la mer : ils dînèrent dehors,
> sur une terrasse en planches au-dessus de
> l'eau ; elle en garde un intense souvenir de
> blancheur ; les planches, les tables, les chaises,
> les nappes, tout était blanc, les réverbères
> étaient peints en blanc et les lampes irra-
> diaient une lumière blanche contre le ciel
> estival, pas encore sombre, où la lune, elle
> aussi blanche, blanchissait tout alentour. »

*Ce « bain de blanc » est pour Chantal le climat et
l'image de son amour pour Jean-Marc. Mais ce qui
frappe également dans cette scène (qui a quelque chose
d'onirique), c'est qu'elle pourrait tout aussi bien figu-
rer la mort, ou du moins un territoire hors du temps,
où la vie est comme suspendue : la blancheur, le
silence, l'immobilité, la demi-obscurité jetée par la
lune ; ici toute couleur, tout mouvement, toute passion
paraît effacée, oubliée. Et au milieu de cette absence,
deux êtres seuls, coupés de tout, qui se regardent et ont
peur de se perdre.*

*Car tel est bien l'amour de Jean-Marc et Chantal :
un espace aménagé en marge du monde, à l'écart de*

la vie, contre *la vie*, en fait, et donc « *une hérésie, une transgression des lois non écrites de la communauté humaine* ». L'amour de ces amants, leur « *présence absolue* » l'un pour l'autre est une absence, une désertion, sinon une trahison à l'égard du monde qui les entoure.

Déserteur, Chantal l'est souverainement. Depuis la mort de son fils, tout en elle est rupture et exil volontaire. Elle a laissé derrière elle non seulement son mari et sa famille, mais tout ce qui, du dehors (la société) ou du dedans (ses rêves de jeunesse), la déterminait contre son gré à agir, à vivre, à penser ou à sentir de telle façon, et la rattachait ainsi à la comédie du monde et de la vie. Elle appartient désormais à cette petite galerie de personnages kundériens qui, devant la fondamentale et interminable plaisanterie de l'existence (et en particulier de l'existence moderne), ont cessé de jouer le jeu et de lutter, choisissant de prendre la fuite et de se mettre à l'abri, hors de portée du bruit et des grimaces venus soit de leurs contemporains, soit d'eux-mêmes, c'est-à-dire de cette part d'eux-mêmes qui a besoin des autres et du monde pour exister.

Ainsi retiré, absenté, l'être désenchanté n'a plus d'identité. Ce n'est pas seulement de son fils que Chantal se sent et se veut délivrée, c'est aussi d'elle-même, de l'obligation d'être ce que son passé, son corps, son âge, sa profession lui commandent d'être. Mais, plus fondamentalement encore, elle a quitté le territoire de l'identité, c'est-à-dire le monde où chacun est obligé de revêtir le visage d'un moi unique et distinct et de défendre ce visage jusqu'à la mort, au prix

217

de toutes les tricheries. Jean-Marc le sait, et il en souffre parfois : Chantal a plusieurs visages, entre lesquels elle ne peut ni ne veut choisir, ce qui est une manière, en fait, de n'en avoir aucun. Aucun autre visage que celui qu'elle a elle-même décidé de porter, aucune autre identité que celle où elle a élu de se réfugier : être l'amante, l'aimée, l'objet du regard amoureux de Jean-Marc.

Pour Chantal, en effet, l'amour de Jean-Marc est la maison retirée où elle peut ne plus appartenir au monde et échapper totalement à son passé. Point de lendemain, disaient les amants de Vivant Denon; point d'hier, point d'ailleurs, ajouterait Chantal. Et c'est pourquoi, assise sur la terrasse avec Jean-Marc, au milieu de la blancheur, elle peut être si heureuse, « [savourant] l'absence totale d'aventures » et l'étiolement, dans son corps, de la rose rouge de sa jeunesse. « Vivre, peut-on lire dans Les testaments trahis, c'est un lourd effort perpétuel pour ne pas se perdre soi-même de vue, pour être toujours solidement présent dans soi-même, dans sa stasis. » Pendant un instant, sur cette terrasse, enveloppée par le regard de Jean-Marc, le « lourd effort » se relâche et Chantal repose dans la seule identité qu'elle reconnaît sienne.

Ce repos bienheureux, toutefois, est la fragilité même. Sans cesse, Chantal subit des assauts qui menacent de le détruire. Les plus fréquents sont ceux que lui inflige son propre corps, rêves, rougeurs, bouffées de chaleur qui la dégoûtent car ils l'asservissent malgré elle à la vie qu'elle a désertée. Mais la pire épreuve viendra de son amant lui-même : ce sera l'épisode des lettres signées C.D.B.

N'ayant pas compris la portée des paroles de Chantal lorsqu'elle a dit qu'elle n'était plus regardée par les hommes, Jean-Marc croit lui faire plaisir en lui adressant ces lettres pleines de désir. Mais en réalité, il perturbe ainsi le fragile équilibre de leur amour en incitant (sinon en contraignant) Chantal à adopter une identité et à prendre un visage dont elle ne veut plus, celui de la femme qui refuse de vieillir et s'accroche désespérément aux regards des autres pour s'assurer de son être et de sa beauté. Elle pour qui l'amour est une grande terrasse tranquille enveloppée de blancheur, il l'amène à s'habiller de rouge et à se jeter dans des aventures qui vont la conduire au bord de sa propre disparition, c'est-à-dire à perdre de vue tout ce qui la fait elle-même : le refus du monde et *l'amour de Jean-Marc.*

Le seul regard dont Chantal a besoin, le seul dans lequel elle reconnaît son vrai visage, est le regard dont l'enveloppe son amant. Ce regard est sa maison, son abri, la coquille de son identité. Par ce regard, elle échappe à tous les regards qui l'épient, la jugent, la réduisent à son corps. Qu'elle vienne à sortir du rayon de ce regard protecteur, et tout en elle se défait, les monstres l'envahissent, la réalité bascule, elle oublie son nom et sombre dans le cauchemar.

À la fin du « Jeu de l'auto-stop », la jeune fille prise de panique crie à son compagnon : « Je suis moi, je suis moi, je suis moi... » À la fin de L'identité*, Chantal, en s'éveillant de son aventure londonienne, dit à Jean-Marc : « Je ne te lâcherai plus du regard. Je te regarderai sans interruption. »*

Car tel est l'amour au-delà de l'amour : deux êtres qui ne se quittent plus des yeux, parce qu'ils savent que l'identité de chacun est contenue, abritée, préservée des regards des autres par le fragile regard qui les tient ensemble et forme autour d'eux la blanche terrasse de leur solitude et de leur bonheur.

François Ricard

ŒUVRES DE MILAN KUNDERA

Aux Éditions Gallimard

Traduit du tchèque :

LA PLAISANTERIE, *roman.*

RISIBLES AMOURS, *nouvelles.*

LA VIE EST AILLEURS, *roman.*

LA VALSE AUX ADIEUX, *roman.*

LE LIVRE DU RIRE ET DE L'OUBLI, *roman.*

L'INSOUTENABLE LÉGÈRETÉ DE L'ÊTRE, *roman.*
　Entre 1985 et 1987 les traductions des ouvrages ci-dessus ont été entiè-
　rement revues par l'auteur et, dès lors, ont la même valeur d'authenticité
　que le texte tchèque.

L'IMMORTALITÉ, *roman.*
　La traduction de *L'Immortalité,* entièrement revue par l'auteur, a la
　même valeur d'authenticité que le texte tchèque.

Écrit en français :

JACQUES ET SON MAÎTRE, HOMMAGE À DENIS
　DIDEROT, *théâtre.*

L'ART DU ROMAN, *essai.*

LES TESTAMENTS TRAHIS, *essai.*

LA LENTEUR, *roman.*

L'IDENTITÉ, *roman.*

SUR L'ŒUVRE DE MILAN KUNDERA

Maria Nemcova Banerjee : PARADOXES TERMINAUX,
　Gallimard.

Kvetoslav Chvatik : LE MONDE ROMANESQUE DE
　MILAN KUNDERA, *Gallimard.*

Éva Le Grand : KUNDERA OU LA MÉMOIRE DU
　DÉSIR, *XYZ/L'Harmattan.*

Jocelyn Maixent : LE XVIIIᵉ SIÈCLE DE MILAN KUN-
　DERA, *P.U.F.*

Composé et achevé d'imprimer
par la Société Nouvelle Firmin-Didot
à Mesnil-sur-l'Estrée, le 2 février 2000.
Dépôt légal : janvier 2000.
Numéro d'imprimeur : 99038.

ISBN 2-07-041176-1/Imprimé en France.

93065